J. Bernlef *Hersenschimmen*

Amsterdam

Em. Querido's Uitgeverij B.V.

1988

Eerste, tweede, derde en vierde druk, 1984; vijfde, zesde, zevende, achtste, negende, tiende, elfde, twaalfde en dertiende druk, 1985; veertiende, vijftiende, zestiende, zeventiende en achttiende druk, 1986; negentiende, twintigste, eenentwintigste en tweeëntwintigste druk, 1987; drieëntwintigste en vierentwintigste druk, 1988.

Copyright © 1984 by J. Bernlef. Niets uit deze uitgave mag worden verveelvoudigd, en/of openbaar gemaakt, door middel van druk, fotocopie, microfilm of op welke andere wijze ook, zonder voorafgaande schriftelijke toestemming van Em. Querido's Uitgeverij B.V., Singel 262, 1016 AC Amsterdam. No part of this book may be reproduced in any form, by print, photoprint, microfilm or any other means, without written permission form Em. Querido's Uitgeverij B.V., Singel 262, 1016 AC Amsterdam.

ISBN 90 214 5181 6 / CIP / NUGI 300

A touching dream to which we all are lulled
But wake from separately.

Philip Larkin

Misschien komt het door de sneeuw dat ik me 's morgens al zo moe voel. Vera niet, zij houdt van sneeuw. Volgens haar gaat er niks boven een sneeuwlandschap. Als de sporen van de mens uit de natuur verdwijnen, als alles één smetteloze witte vlakte wordt; zo mooi! Dwepend bijna zegt ze dat. Maar lang duurt die toestand hier niet. Al na een paar uur zie je overal schoenafdrukken, bandensporen en worden de hoofdwegen door sneeuwruimers schoongeploegd.

Ik hoor haar in de keuken bezig met de koffie. Alleen de okergele haltepaal van de schoolbus geeft nog aan waar de Field Road langs ons huis loopt. Ik begrijp trouwens niet waar de kinderen blijven vandaag. Iedere ochtend sta ik hier zo voor het raam. Eerst controleer ik de temperatuur en dan wacht ik tot ze in de vroege winterochtend van alle kanten tussen de boomstammen te voorschijn komen met hun rugtassen, hun kleurige mutsen en dassen en hun schelle Amerikaanse stemmen. Die bonte kleuren stemmen me vrolijk. Vuurrood, kobaltblauw. Eén jongetje heeft een eigeel jack aan met een pauw op de rug geborduurd, een jongetje dat licht hinkt en altijd als laatste in de schoolbus klautert. Dat is Richard, de zoon van Tom, de vuurtorenwachter, geboren met een te kort linkerbeen. Een hemelsblauw wijd uitstaande pauwestaart vol donker starende ogen. Ik begrijp niet waar ze blijven vandaag.

Het huis kraakt als een oude kotter in zijn binten. Buiten rolt de wind door de kruinen van de verder kale doorbuigende dennen. En op vaste momenten de dof loeiende stoten van de foghorn – de misthoorn bedoel ik – naast de vuurtoren op de laatste, in zee stekende rots van Eastern Point. Op vaste momenten. Daar kun je de klok op gelijk zetten.

Min drie wijst de buitenthermometer aan, pappa's Heidensieck-thermometer, een glazen staafje in een mosgroene houten beschermhuls, vastgeschroefd aan het raamkozijn. Links Celsius, rechts Fahrenheit. Pappa en zijn Heidensieck. In het doen van weersvoorspellingen geloofde hij niet, maar wel in het vastleggen van feiten. Niet voor niets was hij praktisch zijn hele leven griffier. Ochtend- en avondtemperatuur, genoteerd in een zwart gemarmerd cahier. Het eerste en laatste dat hij deed, iedere dag opnieuw. Een soort ritueel. In de weekends haalde hij het cahier te voorschijn en werkte hij aan zijn bureau op basis van de genoteerde temperaturen zijn grafieken bij. Die grafieken, getekend met een hard Faber-potlood op zalmkleurig grafiekpapier, bewaarde hij in een map. Waarom deed hij dat alles eigenlijk? Hij heeft er maar één keer met me over gesproken, kort voor zijn dood, in zijn huisje tegen het binnenduin van Domburg. Mijn tijd is te kort, zei hij, en het systeem is te groot, te traag en te ingewikkeld voor een mens alleen. Ik registreer louter feiten. Maar je vermoedt een systeem achter die feiten, zei ik. Ja, zei hij, dat zou je wel zeggen. Of alle feiten zouden afwijkingen moeten zijn, voegde hij er met zijn smalle, ironische lachje aan toe. Maar dan zou het geen systeem meer zijn, opperde ik. Of een systeem dat wij ons niet voor kunnen stellen, zei hij.

Vreemd dat ik hier in Gloucester, aan de kust boven Boston, plotseling aan hem sta te denken: aan pappa en zijn Heidensieck-thermometer. Zelfs zijn graf in Nederland moet al wel zijn opgeruimd.

Ja, hij hield van systemen. Als vader keek hij over je heen, zijn waterige blauwe ogen op iets gericht dat de rest van ons rond de huiskamertafel niet kon zien. We waren eigenlijk een beetje bang voor hem, mamma en ik. Hij was op een heel letterlijke manier uit de hoogte. En ook nog op een andere manier. Als hij in een goede bui was, nam hij mij 's avonds mee op het balkon en wees hij mij de sterrenbeelden aan, de helder schitterende planeten. Een paar keren zagen we een vallende ster. Hij probeerde aan een achtjarige uit te leggen dat wat hij daar in de avondhemel zag een oeroud verleden was, dat wij de werkelijke toestand van het universum niet konden zien, hoogstens berekenen. Een aantal van die sterren die je daar ziet, bestaat in het echt niet meer, andere nog wel. Dat begreep ik niet, maar ik vroeg niets. Zulke dingen zei hij trouwens alleen wanneer hij in een goede bui was. Meestal ging hij na het eten direct aan zijn bureau zwijgend zitten werken. Vierenzeventig jaar werd hij. Nog drie jaar en ik zal hem wat leeftijd betreft hebben ingehaald. Toen mamma in 1950 stierf begon hij behalve de temperatuur ook andere aspecten van het weer te noteren. Sneeuwval. Storm. De eerste tekens van de lente. De spreeuwenzwermen die in de herfst over zijn dak trokken en die hij als 'ontelbaar' omschreef in zijn bijna gekalligrafeerde handschrift dat zo goed paste bij het onpersoonlijke karakter van zijn mededelingen. Zes jaar later stierf hij zelf. Plotseling stond zijn hart stil. Ik schroefde de thermometer van het raamkozijn van zijn huisje en nam hem mee. Ik weet eigenlijk niet precies waarom. Het is een heel gewone thermometer.

Je hoort Vera altijd van verre aankomen, zo rinkelen die twee kopjes en schoteltjes op het blikken dienblad. Espeblaadje zeg ik wel eens gekscherend tegen haar, maar dat vindt ze niet zo leuk. Het komt door een versleten nekwervel, heeft dokter Eardly gezegd. Er is weinig aan te doen. Niets eigenlijk. Ouderdom.

'Waar blijven de kinderen toch?'

'De kinderen? Waar zouden die anders zijn dan in Nederland.'

'Nee, ik bedoel die van hier.' Ik wijs naar buiten. 'De kinderen van Cheever, van Robbins en Toms Richard.'

'Maar Maarten, het is zondag vandaag. Kom, je thee wordt koud.'

Dat ik dat vergeten was. En thee? Ik zou toch zweren dat het ochtend was. Maar nu ik door het andere raam in de richting van de zee kijk zie ik wel dat het later moet zijn. Achter de grijze damp schuilt een bleek zonnetje. Het moet door die mist komen dat ik me heb vergist. Mist houdt licht tegen. Voor ik ga zitten sla ik vlug een blik op de wandklok. Drie uur geweest.

Ik glimlach tegen Vera's spottende groene ogen met de donkere spikkeltjes in de pupillen. Laatst kwam ik een oude foto van haar tegen. Ze leunt op het dek van een salonboot met haar rug tegen de witte dubbele reling. Een tochtje naar Harderwijk. De zon schijnt op haar bruine springerige haar. Dik was het toen. Ze lacht, je kunt haar regelmatige kleine tanden zien. De jurk die ze droeg herinner ik me nu niet, licht van kleur was ze in ieder geval. Ik zie ons nog samen op het achterdek staan terwijl we het IJ uitvoeren. Waren we toen al getrouwd? Maar het beeld dat ik van haar heb – van binnen bedoel ik – lijkt niet op de jonge vrouw van die foto en evenmin op de Vera tegenover mij. Het is een beeld waarin alle veranderingen die zij heeft ondergaan verenigd zijn. Daarom is het ook meer een gevoel dan een beeld.

Vera. Haar nog altijd snelle abrupt afbrekende gebaren; de aandacht waarmee ze met haar spitse vingers een dood blad uit een plant plukt en van alle kanten bekijkt, alsof ze de doodsoorzaak wil vaststellen; hoe ze haar lippen tuit als ze nadenkt of zachtjes haar hoofd schudt wanneer ze iets leest dat ze mooi vindt. Ik ben de enige die al de vrouwen die ze geweest is in haar kan zien. Soms raak ik haar dan aan, raak ik ze allemaal tegelijk even zachtjes aan. Een gevoel is het. Een gevoel dat alleen zij bij mij kan oproepen; niemand anders.

Ik roer met mijn lepeltje in mijn kopje, net als zij. Een vertrouwd tinkelen van metaal tegen dun porselein.

'Is er wat,' vraagt ze. Ze kijkt me onderzoekend aan.

'Nee,' zeg ik. 'Hoezo?'

'Vanmorgen heb je je koffie koud laten worden. En ik heb je wel twee keer gevraagd om hout uit de boet te halen. Maar de enige die met een stuk hout in zijn bek terugkwam was Robert.'

Ze lacht. Ze heeft nog steeds kleine tanden. Maar deze zijn niet echt. Ze zegt boet in plaats van schuur omdat ze uit Noord-Holland komt, uit Alkmaar, net als ik. Maar ik zeg gewoon schuur.

'Ik voelde me een beetje slap vanmorgen,' zeg ik. 'Ik zal het zo voor je doen.'

'Hoeft niet meer. Ik ben zelf al geweest. Je wordt een beetje verstrooid, Maarten.'

'Mijn geheugen is nooit zo best geweest.'

Ik hoor aan mijn stem dat ik mezelf probeer te verdedigen tegen haar plagerige vermaning. 'Het komt door de sneeuw,' zeg ik haastig, 'die monotonie, als alles wit is om je heen vallen de verschillen weg. Ik verlang best naar de lente, jij niet?'

'Er is nog meer sneeuw voorspeld.'

'Toe maar.'

Ik vouw mijn handen, kijk naar de tabaksbruine pigmentvlekjes tussen de gezwollen aderen en voor ik het weet zeg ik nog een keer 'toe maar'. Ontglipt me zomaar.

Even legt ze haar hand op mijn hoofd, op mijn dunne haar. Als ze glimlacht zie je dat ze een kunstgebit in heeft. Alleen als ze glimlacht, anders niet. Dan zijn haar wangen nog vol en bijna rimpelloos. Onder in haar kleine oren glinsteren zilveren oorknopjes, Zeeuwse oorknopjes van haar overgrootmoeder uit Zierikzee.

'Drink je thee eens op.'

Ik drink de thee. Opeens raak ik geïrriteerd. Ik sta op. 'Ik moet even naar het toilet.' Dat zei ik altijd op mijn werk. Thuis zeg ik altijd gewoon 'naar de wc'. Het nuanceverschil valt haar natuurlijk direct op.

'Vergeet dan niet je handschoenen aan te trekken,' zegt ze.

Hier zit ik wel vaker – een oude krant doelloos in mijn handen – als ik over iets na wil denken. Maar het probleem is dat je moeilijk kunt nadenken over iets dat je je niet herinnert. Met geen mogelijkheid. De ochtend. Haar vraag of ik hout wilde halen. Misschien heb ik het niet gehoord. Alhoewel, twee keer heeft ze het mij gevraagd, zei ze.

Een slecht geheugen heb ik altijd gehad. Op vergaderingen was mijn agenda mijn onmisbare metgezel. Maar een hele ochtend die je een paar uur later zomaar vergeten bent? Die voorbijgegaan is alsof hij er nooit is geweest? Ik zou zoëven nog zweren dat het een gewone door-de-weekse ochtend was. Als Vera niets had gezegd, zou ik daar nu misschien nog in de achterkamer staan, mijn handen op de vensterbank steunend, zoals iedere morgen op de uitkijk naar de rumoerige schoolkinderen van Eastern Point.

Dat tegelwerk had indertijd beter gekund. Moet je dat cement tussen de voegen voelen bobbelen. Nog steeds ben ik links, maar op de bewaarschool mag dat niet, linkshandig knippen. De strookjes voor het matjes vlechten worden lelijk, ongelijk van breedte en lengte. De juf buigt zich naar me over. Haar donkere krullende haar schuift even kriebelend langs mijn wang. Ga jij de potlodendoos dan maar halen, Maarten, zegt ze zacht en ze veegt mijn mislukte vlechtwerkje van tafel. Ik kijk naar de papierrepen voor mijn voeten op de grond. Dan sta ik op en open de deur.

Het is stil op de gang. Aan het eind is het materiaalhok.

Op de bovenste plank staat de potlodendoos met zijn geur van houtslijpsel en grafiet, een geur die onder uit een bos komt, even oud is als de aarde zelf. Ik moet op een stoel klimmen om naar de doos met zijn vakjes van verschillende lengte en breedte te zoeken. Achter me staat Vera, naast de wasmachine. Ik wankel en grijp me met beide handen aan de plank vast.

'Doe niet zo gevaarlijk,' zegt ze, 'en kom van die stoel af, voordat je valt. Wat zoek je daar?'

'Een timmermanspotlood,' mompel ik terwijl ik van de stoel klauter. Als ze het nog een keer vraagt zwijg ik, alsof ik haar niet heb verstaan. Ze herhaalt haar vraag niet. Ik loop door de gang de kamer in. De televisie staat luid aan. Vera is een beetje hardhorend. Ik niet, maar soms, zoals zonet, komt het mij van pas voor te wenden dat ook mijn gehoor niet meer zo scherp is als vroeger.

Inderdaad, wat deed ik daar, hoe kwam ik daar op die stoel? En zo opeens. Plotseling bevond ik mij staande op een keukenstoel in het washok. Zonder dat er iets aan voorafging.

Ze heeft haar lindegroene gebreide vest aangetrokken.

'Heb je het koud?'

'Een beetje rillerig,' zegt ze en wijst naar buiten.

Het sneeuwt weer. Daar loopt Robert met zijn neus vlak boven de grond. Volgt vast een spoor. Ik zie hem tussen de dennen achter een scheef uit de grond stekend rotsblok verdwijnen. De wind heeft de sneeuw van de bovenkant van de gevlekte donkergrijze steen gevaagd. De nerven en scheuren in de zijkant tonen zich als een netwerk van fijne witte lijntjes, een landkaart waar ik opeens niet naar wil kijken. Mijn mond loopt vol speeksel.

Ik slik. Weer. Ik slik nog eens en wrijf met mijn tong langs mijn gehemelte. Een opgewekte vrouwenstem kondigt het nieuws van vier uur aan. Het zal nu wel snel donker worden.

Ik zal wachten tot ik Vera en mijzelf in het zwart wordende spiegelglas van het huiskamerraam zie opdoemen, als in de lijst van een vertrouwd schilderij. Dan zal ik opstaan en de gordijnen sluiten. Ik wrijf in mijn handen. Ja, dat zal ik doen, dat ga ik doen.

Vera. Ze is magerder geworden. En nog kleiner, lijkt wel. Toen ze ruim veertig was, was ze zelfs aan de mollige kant. En dan zo met mijn linkerhand langs haar slapende rug tot ik een van haar borsten in de kom van mijn hand hield en met mijn duim zachtjes over de tepel wreef. Van de zomer lagen er hier verderop in het bos twee te neuken. Van die stevige jonge tieten. Ik bleef achter een esdoorn staan. Ze zagen me niet. Vieze oude man? Nee, dat was het niet. De hartstocht van hun heftige bewegingen daar in het hoge gras, in een kring van slordig neergeworpen kleren, de gekromde tenen van het meisje en het zomerwindje door de hoge varens tussen de dennen achter hen. Ik dacht aan de zachte sluimerende bewegingen van Vera en mij. Ik keek naar iets dat ik gekend had maar dat definitief achter mij lag. De opwinding om het onbekende heeft plaats gemaakt voor herkenning, het herkennen van Vera zoals ze is, zoals ik haar in de loop van de jaren heb zien worden. Bij de meeste vrouwen van haar leeftijd valt het jonge meisje dat ze toch eens geweest moeten zijn met geen mogelijkheid te reconstrueren. Ze zien eruit alsof ze altijd zo geweest zijn. Maar in Vera zijn trekken en gebaren van het jonge meisje bewaard gebleven. Als een soort onderschildering. De roekeloze snelheid waarmee ze nog steeds gaat zitten, het uitgelaten gewuif wanneer ze ergens een bekende ziet, de van balletles overgehouden naar buiten draaiende voeten, de rechte hals, ondanks de rimpels nog even trots en nieuwsgierig ronddraaiend als die van een struisvogel.

Het huis lijkt groter dan vroeger, toen Kitty en Fred nog thuis waren. Boven komt alleen Robert nog maar, wij hebben aan de benedenverdieping genoeg. Scharrelen daar. Dat is een verschil met vroeger, toen je nog werkte. Je gaat scharrelen, een beetje lopen om het lopen. Doet hier en daar eens een deur of een kast open en weer dicht. Zomaar. Je ziet de kamer, de bekende meubels zoals ze daar gerangschikt staan, de portretten en potjes, de blinkende ruitjes van de provisiekast in de hoek van de kamer die me altijd doet denken aan de huiskamer van opa en oma, aan oma's geheime snoepvoorraadje achter de rij hagelwitte blikken bussen met hun zwarte strenge opschriften 'Suiker', 'Zout', 'Kaneel', 'Koffie'. Dunne Kwatta-reepjes bewaarde ze daar voor mij en zuurballen of peredrups; woorden uit een onwaarschijnlijk ver verleden, maar nog met een vleug van de vroegere smaak.

Ik kijk om mij heen. De dingen hebben hun eigen onveranderlijke plaats gekregen. Je gooit niet meer zo gauw iets weg en als er soms iets breekt voel je iets anders dan de onverschilligheid van vroeger. Je kijkt om je heen en weet dat deze voorwerpen je zowat allemaal zullen overleven. Ze omringen je en soms heb je het gevoel: ze kijken me aan, bijna op voet van gelijkheid.

'Moet je New York zien!'

Ook op het televisiescherm sneeuwt het. Een mosterdgele sneeuwruimer op Madison Avenue schuift de sneeuw in modderige golven de stoep op. Achter grote verlichte etalageramen staat winkelpersoneel toe te kijken. Laat ik nou niet vergeten hout uit de schuur te halen. Dat is voor Vera echt te zwaar, die blokken. Zelf zagen en hakken doe ik al jaren niet meer. Ik koop het hout van Mark Stevens, die ook aan Tom van de vuurtoren levert. Er kan trouwens best nog een blok op, al is het meer voor de gezelligheid dan voor de warmte.

Ik pak een boek van het ronde lage tafeltje naast de haard.

The Heart of the Matter van Graham Greene. Heb ik hier nooit eerder zien liggen. Het komt ook niet uit de bibliotheek. Er steekt, bijna halverwege, een buskaartje uit, een retourtje Gloucester-Rockport. Ik heb er Vera niet in zien lezen. Misschien heeft ze het van Ellen Robbins geleend en is dat buskaartje van haar. (Waarom wil ik zo graag dat dat het geval is? Waarom lijkt dit onschuldige boek mij opeens een indringer?)

Even rakelen, dat geeft zo'n mooie vonkenregen. Stuif maar omhoog, de schoorsteen uit, jullie. Daarbuiten worden jullie allemaal sissend door sneeuwvlokken gedoofd. Zwarte spikkels op het besneeuwde dak, dat is alles wat er overblijft van die dalende vuurvonken. Dat heb ik meermalen gezien wanneer ik 's winters van een wandeling met Robert uit het bos naar huis terugkeerde.

Graham Greene. Was dat ook niet de schrijver van *Our Man in Havana*? Heb ik een keer in de bioscoop gezien, een film met Alec Guinness. Ik herinner me alleen een scène met twee mannen die een partij dam spelen. Maar in plaats van met damschijven spelen ze met kleine flesjes drank. Bourbon en Scotch. Ieder stuk dat geslagen wordt moet worden leeggedronken. De verliezer wint.

'Herinner jij je *Our man in Havana*, die film met Alec Guinness? Naar een boek van Graham Greene?'

Ik schreeuw expres een beetje om boven de televisie uit te komen.

'Vaag,' zegt ze en veegt een koekkruimeltje uit haar mondhoek.

'Naar een boek van Graham Greene.'

'Kan wel ja.'

Ze reageert niet op die naam. Het zou toch voor de hand hebben gelegen wanneer ze gezegd zou hebben: dat is ook toevallig, ik ben net een boek van hem aan het lezen. Dan zou ik antwoorden: dat is helemaal niet toevallig. Ik zag dat boek hier liggen en toen schoot me die film weer te binnen. Dan zou alles kloppen, dan zouden onze woorden als puzzelstukjes in elkaar schuiven. Maar ze zegt niets.

Lopen, ik moet even opstaan en gaan lopen. Dan ebt het wel weer weg, dat gevoel even bij volle bewustzijn afwezig te zijn, zoek te raken of te verdwalen, ik weet niet hoe ik dit gevoel noemen moet, dat blijkbaar door de simpelste voorwerpen, zoals dit boek, kan worden opgeroepen.

Robert krabbelt aan de keukendeur. Vera hoort dat niet. Met twee handen moet ik de kruk tegen de wind vasthouden. De hond duwt direct zijn koude neus in mijn uitgestrekte handen. Ik streel zijn tabaksbruine gevlekte vacht waar hier en daar nog sneeuwkristallen op liggen na te glinsteren. Robert weet de weg, regelrecht naar de knetterende haard.

Anders kun je door het keukenraam tussen de bomen de rotsige kust en de grauwe deinende zee zien, maar nu is er daar in de verte niets dan een zwart gat. Geen lichtje te bekennen zelfs. De vissers zijn waarschijnlijk met dit weer binnengebleven.

Ik zie het hier in Gloucester misgaan met de visserij. De roestige vissersschepen zijn klein, vuil en ouderwets en de vissers hebben geen benul van de ontwikkeling van moderne geheel geautomatiseerde vissersvloten aan de andere kant van de wereld. Door mijn werk weet ik dat, maar ik vertel het ze maar niet. Als ik wel eens in de Tavern kom dan luister ik alleen maar naar hun verhalen. Op zee leer je niet praten, zei er laatst een tegen mij. Je hebt het te druk. En als je eens een uurtje vrij hebt is er altijd die zee om je heen die je nooit uit het oog mag verliezen. De imco, wat zou ze dat zeggen? Zeker toch geen mens die weet dat dat een afkorting is van Intergovernmental Maritime Consultative Organisation? Zelfs Vera niet. Ze heeft het van het begin af aan over de imco gehad zonder ooit te vragen wat die letters eigenlijk betekenden.

Ik notuleerde de vergaderingen. Later kwam er een secretaresse voor dat werk en ging ik de vangstquantums vaststellen, samen met Karl Simic. Veel zei die nooit. En zeker niet over zichzelf, zoals bij voorbeeld Chauvas die altijd honderduit babbelde. Vangstquantums. Er zijn jaren geweest dat ik dat woord elke dag gebruikte. Nee, eigenlijk denk ik nooit meer aan kantoor. Soms nog wel eens aan die lange schrale Karl Simic, al is hij dan ook dood nu. Simmitsj, zo sprak je dat uit. Een Joegoslavische naam. Hij woonde alleen in een flat in Boston. En op een ochtend vonden ze hem dood in bad. Toen ik dat hoorde had ik spijt nooit vriendschap met hem gesloten te hebben. Maar hij was net als ik: verlegen en gesloten. Als wij aan het werk waren kon je een speld horen vallen.

'Wat deed je zo lang in de keuken?'

'Vangstquantums.'

'Wat?'

'Ach niets, een woord van mijn werk. Ik dacht opeens weer even aan mijn werk. En aan die arme Karl Simic die zelfmoord pleegde en geen van de collega's die begreep waarom behalve ik, maar ik hield mijn mond. Wat is er eigenlijk van overgebleven behalve wat oude vergeelde notulen en rapporten vol adviezen die niemand ooit opvolgde?'

'Jullie mannen zijn nu eenmaal dol op gewichtig doen en vergaderen.'

'Ik was een radertje, een goed betaald radertje, dat wel. Maar hoe de intergouvernementele machinerie nu precies in elkaar stak, dat weet ik tot op de dag van vandaag nog niet.'

Ze heeft de televisie afgezet. Ik ga naast haar op de bank zitten. We zwijgen. Dan legt ze haar hand op mijn knie.

'Je moet niet steeds diezelfde oude broek aantrekken,' zegt ze.

Uit de voorkamer klinkt belgerinkel. Het houdt op en begint dan weer opnieuw. Een vervelend opdringerig geluid dat tussen de meubels aan komt snerpen. Tenslotte houdt het op.

'Ging de telefoon net niet?'

'Nee,' zeg ik, 'je moet het je verbeeld hebben.'

'Misschien was het Ellen Robbins wel,' zegt ze. 'Die zou misschien vanavond komen.'

Ze staat op en loopt de kamer uit. Mijn impuls is om achter haar aan te lopen, maar dat is onzin natuurlijk. Ze is toch zo weer terug. Ik strengel mijn vingers in elkaar en knijp.

Het moet nu toch snel dag worden. Als het eerst maar weer lente is en Robert en ik weer langs het strand of langs de baai kunnen lopen. Ik gooi stukken aangespoeld wrakhout in de golven en hij brengt ze weer op het strand. Een nutteloos tijdverdrijf waar we allebei op onze eigen manier plezier aan beleven.

Ik loop naar het raam en druk mijn neus tegen het glas. Zwart. Vera was het eerst beneden, zoals gewoonlijk. Ze heeft de gordijnen opengetrokken. Ik doe ze maar weer dicht. Het is nog veel te vroeg om ze open te hebben op zo'n koude winterochtend. Zelfs de schoolkinderen liggen nu nog in bed. Ik wrijf in mijn handen. Best trek in koffie. Ik snuif. Niets. Ze is nog niet aan het opschenken toe zeker. Dan nog maar een stukje lezen.

Ik pak het boek van het haardtafeltje en sla het open op de plaats waar ik gisteren gebleven ben. Ik heb in bed liggen lezen. Dan gebeurt het wel meer dat ik in slaap val en de volgende dag niet meer weet wat ik het laatst gelezen heb. Ik blader een hoofdstuk terug en leg het busretourtje Rockport van vorige week voor in het boek.

Vera komt binnen. Niet in haar donkerblauwe peignoir maar in een zwarte katoenen broek met een loshangend lindegroen vest over een witte blouse. In haar handen houdt ze lange papiersnippers, repen gescheurd krantepapier.

'Heb jij dat gedaan?' vraagt ze.

Ik schud mijn hoofd. 'Robert misschien,' opper ik aarzelend.

'Sinds wanneer scheurt een hond op de wc een krant in repen?'

Ze loopt naar de prullenbak naast de piano en laat de papierrepen erin vallen. Ik kijk ernaar en begrijp niet waarvoor ik me zo schaam, waarom die stomme krantesnippers me zo in verlegenheid brengen. En het wil maar niet licht worden, het wordt maar niet licht.

'Als je de gordijnen dichtdoet, doe ze dan wel allemaal dicht,' zegt ze. 'Ik ga even Ellen Robbins bellen. Het is zulk hondeweer buiten. Ze kan maar beter thuis blijven vanavond.'

Natuurlijk, het is avond. 'Wat eten we?'

'Ik maak een pizza warm. Het is tenslotte zondag vandaag.'

'Natuurlijk,' zeg ik. 'Zondag. Mij best.'

Ik probeer te lezen in het boek dat ik in mijn handen houd maar de woorden willen geen zinnen vormen. Het is alsof ik plotseling het Engels niet meer beheers, terwijl ik toch de afgelopen vijftien jaar praktisch tweetalig geworden ben. Thuis spreken we Nederlands met elkaar, maar zo gauw er iemand anders bij is, schakelen we moeiteloos op Engels over. En ook komt het vaak voor dat we er ons op betrappen Engels tegen elkaar te blijven spreken lang nadat de gasten zijn vertrokken. Ik staar naar de zinnen. Langzaam keren ze weer in het gareel terug. Er dwarrelt iets op de grond. Ik buk me en raap het op. Een oud buskaartje. Ik stop het achter in het boek.

In de voorkamer hoor ik Vera telefoneren.

'Ja, dat dacht ik al. Maar Maarten zei dat ik het me verbeeld had. Had ik ook willen voorstellen. We bellen nog wel.'

Ik hoor haar de hoorn op de haak leggen.

'Zie je wel dat er wel gebeld werd zonet.'

Ik knik.

'Heb je het wél gehoord dan?'

'Ik herinner me nu dat ik iets hoorde,' zeg ik, 'maar de telefoon was het geloof ik niet.'

'Die was het dus wel.'

Ze loopt de keuken in. Ik hoor hoe ze de klep van de oven openklapt en even later het doffe plofje waarmee het gas aanspringt. Nog steeds houd ik het boek in mijn handen. Als Vera weer binnenkomt zeg ik: 'Ja, nu herinner ik het me opeens weer. Net toen ik ernaartoe wilde gaan hield hij op. Dat kan iedereen wel eens gebeuren. Was het Ellen Robbins?'

'Ja, het was Ellen Robbins ja. Ze dacht dat we niet thuis waren, dat ik de afspraak misschien vergeten was. Houd jij de klok even in de gaten. Hij moet nog tien minuten. Dan ga ik even een trui aantrekken. Ik blijf het maar koud houden.'

Ik wil het haar nog vragen, maar ze is de kamer al uit. Tien minuten. De grote wijzer staat nu op de zeven. Als hij op de negen staat zijn de tien minuten om. Maar wat dan? Wat moet er dan gebeuren? Ik sla het boek dicht en schuif het van me af. Ik staar naar de zwarte wijzers van de goudkleurige wandklok. Er zit geen secondewijzer op. Het lijkt alsof de klok stilstaat. Het is een moderne, hij tikt niet.

Ik loop naar de keuken, ga aan de keukentafel zitten en kijk naar de felrode plastic keukenklok aan de muur, een elektrische met een goudkleurige secondewijzer, die met lichte schokjes de wijzerplaat rondgaat. Ik laat mijn ogen er geen moment van afdwalen. Ik ben altijd een man van de klok geweest. Punctueel. Dat kun je van de anderen niet zeggen.

Nu nog een keer en de grote wijzer zal op de negen staan. Dan zijn er tien minuten voorbij. Het is zover. Ik sta op en loop de kamer in.

'Vera,' roep ik, 'het is zover.' Ik loop door de kamers de gang in. 'Vera, Vera, de tien minuten zijn om,' roep ik, zo rustig mogelijk. Dan hoor ik haar antwoord uit de slaapkamer komen. 'Zet de oven dan even uit als je wilt.'

Ik weet niet hoe snel ik terug moet lopen en die opdracht uitvoeren. Als ik het suizende gasgeluid hoor ophouden, ga ik zuchtend van opluchting aan de keukentafel zitten. Alleen dank zij haar antwoord vanachter die gesloten slaapkamerdeur heb ik deze opdracht kunnen uitvoeren. Anders had ik niet geweten wat ik had moeten doen. Dat je plotseling zo los kan slaan van de meest alledaagse handelingen verontrust me. Ik heb er geen verklaring voor.

Vera heeft een grijsblauwe grof gebreide trui aan met een breed openvallende kraag. Ze heeft haar haar opgestoken.

'Waarom heb je je haar omhoog?'

'Dat doe ik toch zo vaak als ik moet koken.'

'Moet je nu koken dan?'

'Het is eigenlijk al klaar. Je hebt gelijk, het is niet meer dan een gewoonte van me.'

Ze trekt haar gebloemde keukenhandschoenen aan en trekt de bakplaat met een pizza erop uit de oven.

'Pizza,' zeg ik verrast.

'Ja,' zegt ze. 'Het is zondag tenslotte.'

'Pizzadag,' zeg ik knikkend en ik sta op om borden en bestek te pakken. Vera snijdt de pizza met een vleesmes in vieren. Ze wipt twee donkere stukjes vlees op mijn bord.

'Ansjovis, dat lust ik niet.'

'Pizza,' zeg ik. 'Dat vind ik lekker.'

'Eigenlijk zou er een glas rode wijn bij moeten,' zegt ze. 'Weet je nog in Rome, aan dat grote plein. Ik weet niet meer hoe het heette. In het midden was een grote fontein. Toen aten we een pizza zo groot dat hij niet op je bord kon, hij hing er helemaal overheen. Twee bedelende zigeunermeisjes in van die lange lappenrokken zagen dat ik dat ding met geen mogelijkheid op kon en net toen ik ze ieder een stuk wilde geven werden ze door een van de obers van het terras gejaagd. Die verontwaardigde donkere ogen waarmee ze over hun schouder kijkend wegliepen! Later zagen we ze op een brede stoep voor een ander terras dansen als twee volwassen vrouwen. Weet je nog?'

'Ja,' zeg ik, 'Rome. De Trevi-fontein.'

'Nee, dat was een andere. Dat is die fontein waar je munten in moet gooien en dan een wens doen. Ik wenste een dochter.'

'En?'

'Ik kreeg een zoon.'

Ik knik. 'Er zijn veel fonteinen in Rome,' zeg ik. 'Dat herinner ik me nog. Het was vóór de oorlog.'

Vera knikte. Ze heeft blosjes van het vertellen, van het zich herinneren. Ik durf haar niet goed aan te kijken. Ik prik het overgebleven stuk pizza aan mijn vork en houd het zo hoog in de lucht dat Robert er met een wijd opengesperde bek naar moet springen.

'Jammer dat we geen foto's van die vakantie hebben,' zegt Vera.

'Ja,' zeg ik. 'Rome, Rome, stad van fonteinen.'

'Drie jaar later was het oorlog.'

'Ook voorbij,' zeg ik. 'Alles gaat tenslotte voorbij.'

Ik sta op om koffie te zetten terwijl Vera de borden afwast en in het druiprek zet. Ik kijk haar van opzij aan. Ze moet nu bijna weer even slank zijn als toen, die vakantie in Rome waarvan ik me niets meer herinner. Gelukkig heeft ze alles verteld. Mijn God, wat zou ik in deze situatie zonder haar moeten beginnen (en het ergste is wel dat ik me geen precieze voorstelling kan maken van wat dat inhoudt: 'deze situatie').

Na de koffie spelen we een spelletje schaak. Ik geef het halverwege op, kan aan niets anders denken dan aan verdwenen herinneringen en durf daarom niet verder aan vroeger te denken. En nog minder durf ik er met Vera over te beginnen.

Misschien is het maar tijdelijk, misschien komen ze weer terug. Herinneringen kunnen soms tijdelijk onbereikbaar zijn, net als woorden, maar totaal verdwijnen kunnen ze toch bij je leven niet? Maar wat zijn dat eigenlijk, herinneringen. Net zo iets als dromen. Je kunt ze navertellen, maar wat ze echt zijn, of ze echt zijn, dat weet je niet, geen mens. Ik heb Robert wel eens horen dromen 's nachts, hoog en klaaglijk piepend vanuit de kamer. En soms mompelt Vera wel eens een paar woorden in haar slaap, binnensmonds en onverstaanbaar. Zelf droom ik nooit. Dat wil zeggen, ik herinner me niet dat ik in tijden gedroomd heb.

'Hoor je me wel eens dromen de laatste tijd,' vraag ik. 'Hardop bedoel ik.'

'Niet dat ik weet,' zegt ze. 'Dan slaap ik denk ik zelf.'

Ik had gehoopt dat ik goed zou slapen vannacht. Vera sliep. Zij slaapt altijd vast sinds ze drie jaar geleden slaappillen is gaan gebruiken. Plotseling was ik wakker, wakker en volstrekt helder. Een tak sloeg met steeds langere tussenpozen tegen de verandabalustrade. Toen hield ook dat geluid op. Mijn hoofd was één grote helverlichte ruimte, volstrekt leeg. En erbuiten windstilte, winterduisternis en Vera's regelmatige ademhalen.

Ik stond op en ging in de keuken aan tafel zitten met een glas melk. Robert kwam uit zijn mand aanscharrelen en bleef minutenlang roerloos voor me staan. Er is iets, Robert, fluisterde ik, dat heb je goed gezien, maar God mag weten wat het is.

Het zal die rotwinter zijn. Dat is het enige hier, de winters duren me te lang.

Staat Vera opeens in haar peignoir voor mijn neus met een gezicht alsof er brand is. Wat doe jij hier in het holst van de nacht aangekleed aan tafel?

Ja, dat was natuurlijk wel vreemd, dat ik aangekleed was.

Ik ga wel eens meer 's nachts mijn bed uit maar dan trek ik toch gewoon alleen mijn ochtendjas en mijn pantoffels aan.

Ik kon mijn ochtendjas niet vinden, zei ik daarom. Ze vroeg of er wat was. Niets, zei ik, alleen mijn hoofd lijkt wel doorzichtig; van glas of ijs, heel helder en toch denk ik aan niks.

Ga dan wat lezen, zei ze. Of doe de puzzel. Ze schoof de krant over de keukentafel naar mij toe. Je hebt me laten schrikken, zei ze. Opeens word ik wakker en lig je niet meer naast me. Je moet je niet ongerust maken, zei ik. Neem nog maar een half slaaptablet en ga naar bed. Ik los die puzzel op en dan kom ik er ook weer in.

Het is natuurlijk een stomme bezigheid, dat gepuzzel, maar ik moet zeggen, de tijd vliegt ermee om. Ik was pas op de helft toen het al licht begon te worden. Ik keek op de klok. Half acht. Niet meer de moeite om er nog in te gaan. Ik zou Vera eens verrassen met koffie op bed. Dat deed ik vroeger altijd op zondag als ik thuis was van kantoor, van de imco. Koffie en een beschuitje. En daarna vrijen. Niet te luidruchtig vanwege de kinderen. Ze hield hem in haar hand, cirkelde met haar duim over het topje en schoof hem dan in zich. Vroeger hoefde ze maar dit te doen of ik kwam al, maar tegenwoordig duurt het meestal veel langer. Soms te lang. Dan worden we allebei te moe om ermee door te gaan en vallen we weer in slaap.

Ze was verbaasd toen ik opeens met het dienblad voor haar stond. Herstel van een oude traditie, zei ik. Ze kwam overeind. Ze had een wijd zwart t-shirt aan dat van Kitty moet zijn. Ik had zin om haar borsten aan te raken maar ik deed niets, ik ging naast haar op de rand van het bed zitten en ik keek hoe ze de koffie dronk, met kleine voorzichtige slokjes terwijl ze het kopje tussen haar licht trillende smalle vingers hield.

Ze hield niet van beschuit met muisjes, zei ze. Er is toch niemand geboren? Ik vond het een feestelijk gezicht, al die gekleurde korreltjes, zei ik. En sinds wanneer ze haar koffie met suiker dronk? Toch al tien jaar niet meer?

Verstrooidheid, zei ik. Neem me niet kwalijk. Ik zat alsmaar te puzzelen en dan heb je je hoofd er niet helemaal bij. Dus je bent helemaal niet meer naar bed geweest? Nee, zei ik. Als ik eenmaal aan zo'n puzzel begin.

Vroeger was ik heel gehaaid in die dingen, maar vannacht aan de keukentafel lukte het niet. Een ander woord voor, een ander woord voor. Ik kon er niet opkomen.

Er schort sinds kort iets aan mijn denken. Of zou het aan mijn Engels liggen? Sinds ik niet meer werk en praktisch de hele dag met Vera in huis ben, spreek ik bijna alleen maar Nederlands.

Een paar keer vulde ik een verkeerd woord in. Expres. Om niet te doen wat de puzzel van mij verlangde. Dat gaf mij een tijdelijk gevoel van opluchting. En ik tekende een snorretje onder de neus van de paus, bijna zonder erbij na te denken, zoals ik vroeger tijdens het notuleren poppetjes in de marge van mijn notitieblok krabbelde. Doodles, zoals ze die hier noemen.

Ik propte de krant met de puzzel in elkaar en stopte hem helemaal onder in de afvalemmer. Vera zou die foute woorden beslist verkeerd opvatten (zolang ik zelf niet weet wat er precies mis is, moet ik dit alles voor mijzelf houden).

Ons huis heeft glimmend gebeitste planken vloeren met hier en daar een kleed erop. Je hoeft er alleen maar een zachte bezem over te halen en de boel is weer schoon. Toch vervuilt het huis ieder jaar wat meer. In hoeken en reten zamelen afgebrande lucifers, verdorde harde besjes en broodkruimels zich op. Vera schijnt het niet te merken. Misschien zijn mijn ogen beter dan de hare.

Omdat ze haar sloffen aan heeft hoor ik haar nu niet lopen, maar anders weten we de hele dag van elkaar waar we ons ergens in huis bevinden. En Robert natuurlijk, met zijn scherpe tikkende nagels.

Het huis kraakt niet langer, de wind is vannacht gaan liggen. Er valt opnieuw sneeuw. De thermometer staat precies op nul graden Celsius.

Vera heeft haar wijnrode corduroy jack en haar jeans aan. Zij heeft zich een beetje aan de Amerikaanse mode aangepast. Als oudere moet je er hier in dit land, tenminste wat je kleding betreft, nog als een twintigjarige uitzien. Zelf houd ik het bij de Engelse kostuums van de firma Dodgson uit Boston. Antracietgrijs met een dun streepje. Ze mogen best aan mij zien dat ik niet van hier kom.

'Ik ga even een wandelingetje met Robert maken,' zeg ik. 'Als ik terugkom haal ik hout voor de haard.'

'Vergeet niet je das om te doen,' zegt ze, steunend op de bezem. Voor ik de gang inloop om mijn jas aan te trekken, loop ik op haar toe en kus haar voorzichtig op haar linkerwang.

'Je had je wel eens mogen scheren,' zegt ze en tikt afkeurend met een glanzend gelakte nagel tegen mijn wang.

'Weet je wat het is,' zeg ik als ik met Robert de besneeuwde Field Road afschuifel. 'Het begint allemaal met grote verwarde gevoelens.'

Je herinnert je later alleen maar een soort koorts, een gloed van binnenuit die alles bijzonder maakte, het allergewoonste waar je samen met haar langssliep, waar je samen met haar naar keek en over sprak. Een boerenschuur, een uithangbord, een zwerm spreeuwen wegstuivend van een akker. Een verlangen was het om alles waar zij naar keek in je op te zuigen, om niets te vergeten, geen moment van deze wereld die plotseling haar wereld was geworden; koel, helder, on-doorgrondelijk.

Je moet nooit teruggaan naar plaatsen van vroeger. Dan vernietig je die gloed, de kern van je herinneringen, zoals pappa, die, zo oud als hij was, na mamma's dood de auto pakte en alle huizen afging waar hij samen met haar in had gewoond. Een paar waren afgebroken, in andere woonden vreemde mensen achter geplooide vitrages met vetplanten in de vensterbank. Na die tocht leken zijn herinneringen meer op verzinsels dan op feiten, zei hij en hij was verbitterd omdat de wereld veranderd was en geen rekening met zijn verleden en zijn gemis had gehouden.

'Niet achterom kijken dus!' Ik praat tegen mijn hond en die das ben ik toch vergeten. Dat heeft Vera natuurlijk al lang gemerkt. Soms denkt ze dat ik haar adviezen expres in de wind sla, maar dat is niet zo.

Om ons heen ploft sneeuw van breed uitstaande dennetakken. Als de zon straks doorkomt zal het misschien gaan dooien. Hoog boven ons laveren een paar meeuwen, maar in het bos zelf ritselt geen enkele vogel. Overal waar je hier gaat ruik je de zee om je heen. Een sterke lucht van algen, wier en vis, vermengd met de opstijgende milde geur van miljarden bruin verteerde dennenaalden.

We slaan links af, Fort Hill Avenue in en komen zo op de Eastern Point Boulevard. Aan de overkant van de baai liggen de houten huizen van Gloucester op hun stenen funderingen tegen de heuvels verspreid, in dezelfde opgewekte kleuren geschilderd als de vissersschepen; mosgroen, duifgrijs, flamingoroze of steenrood. De twee hemelsblauwe klokvormige torens van de kerk hoog achter Main Street lijken over al die verspreid liggende besneeuwde daken te waken. Tussen die blauwe kerktorens in staat een levensgroot Madonnabeeld dat in plaats van het kindeke Jezus een schoener op haar linkerarm houdt. Our Lady of Good Voyage.

Zo nu en dan komen er langzaam rijdende personenauto's en pick-up cars langs. De bestuurders groeten mij, al kennen ze me lang niet altijd. Vijftien jaar geleden zijn Vera en ik hier komen wonen. Het huis is van de IMCO. Er had vroeger een oud-secretaris in gewoond, Joseph Stern. En daarna had het een jaar leeg gestaan. Niemand wilde zo ver van zijn werk wonen. Ik vond het niet erg om iedere morgen met het treintje naar Boston te rijden. Misschien wel het oudste en gammelste treintje van heel Amerika, met zulke vuile coupé-ramen dat je nauwelijks zag dat je bijna door de achtertuinen van de houten huizen van Salem tufte. 's Zomers keek ik naar halfnaakte kleuters spelend in felgekleurde opblaasbad-jes, 's winters naar het opgestapelde ondergesneeuwde tuin-meubilair. De houten treinbanken waren hard, een eerste-klasrijtuig was er niet, maar de reis duurde niet langer dan een klein uur en voerde bijna steeds vlak langs de kust met zijn moerassige inhammen vol graspollen, eilandjes en kleine baaien met jachthavens, houten vlonders en zomerhuisjes langs de oevers. Het was een vriendelijk reisje door een vriendelijke wereld.

Toen ik gepensioneerd werd mocht ik van de IMCO in het huis blijven wonen. Eigenlijk is er nooit over gesproken. Ik bleef gewoon de huur overmaken aan een makelaarskantoor in Boston en verder veranderde er niks.

Kouwe voeten krijg je van die sneeuw, daar zijn geen schoe-nen tegen bestand. 'Kom,' zeg ik tegen de trouw naast mij voortsjokkende Robert, 'we verhogen het tempo.'

Veel van de clapboardhuizen staan hier 's winters leeg. Ze zijn van rijke lui uit Boston en tegenwoordig zelfs helemaal vanuit New York die hier 's zomers komen zeilen en vissen. In de lege kamers staan de klokken stil en alleen een enkel tijdschrift of een krant op tafel geven aan dat hier vorig jaar mensen woonden.

Denial. Natuurlijk! Een ander woord voor refusal, vijf letters, beginnend met een d. Daar heb ik nu een uur op zitten prakkizeren. Het is alsof de winterlucht mijn aderen wijder maakt. Misschien is het dat wel, aderverkalking. Je wordt vergeetachtig. Het hoort bij je leeftijd.

Ieder jaar gebeurt er wel wat in je lichaam. De veerkracht verdwijnt uit je voeten. De trap op en af en je moet even hijgend gaan zitten. Je ogen tranen als je lang naar één punt kijkt. De boodschappentas verhuist steeds sneller van je ene naar je andere hand en je ontmoet steeds minder blikken in winkels. Maar dit is anders. Meer een algeheel gevoel van onrust dan een bepaald symptoom. Maar nee, het zou onzin zijn te denken dat er echt iets mis is. 'Ik spoor nog prima!'

Toch moet ik daar geen gewoonte van maken, van dat hardop in mezelf praten, vooral niet nu Robert en ik de bewoonde wereld beginnen te naderen. Robert holt door een wit openstaand hek een tuinpad op. Ruikt natuurlijk een andere hond. Hij verdwijnt achter een huis. Ik loop alvast maar door. Hij komt straks vanzelf wel weer achter me aan.

Je kunt nu de diep het land inlopende haven goed zien liggen, de betonnen laadsteigers en kranen voor de witte visfabrieken en vriespakhuizen. Hier en daar steken rijen houten palen van vroegere steigers schots en scheef uit het water omhoog, op sommige plaatsen nog verbonden door dwarsbalken.

Kabeljauw en lobster. Kreeften zo groot als je hoofd. Dank zij de toeristen kan het nog een beetje bestaan hier. En wat export naar Boston en New York met van die grote zilverkleurige vrieswagens die elke dag heen en weer rijden.

Je hebt met het leven als zodanig niet veel meer te maken, maar het observeren van al die dagelijkse activiteiten vind ik nog best aardig. Dat is thuis een beetje weg. Daarom moet je eruit blijven gaan, niet binnen blijven zitten. Dan krimpt je wereld te snel.

Vroeger voer er vanhier een veerbootje naar de overkant, maar nu moet je de haven helemaal rondlopen om in het stadje te komen. En hoe dichter je het centrum nadert des te sterker stijgt de weg. Ik begin mijn benen te voelen. Als de Tavern open is ga ik daar maar even uitrusten.

Ook in de Tavern heeft de verandering toegeslagen. Waar een half jaar geleden nog een biljartzaal was met zes van die groene weilanden op bruine balpoten, een beetje geheimzinnig onder laaghangende stalen lampekappen, staat nu een podium volgestouwd met geluidsapparatuur en microfoons. Er zal hier zaterdags wel gedanst worden. Maar de lange bar is nog hetzelfde. Ik kijk om me heen. Het meisje achter de bar staat met haar rug naar me toe voor de kassa.

Als ze zich omdraait moet ik me met beide handen aan de opstaande ronde barrand vastgrijpen. Ik bestel een bier van de tap.

Ik ben in vijftig jaar natuurlijk erg veranderd. Dikker geworden. Haar nagels zijn vuurrood gelakt. Dat brengt het werk met zich mee. Als de telefoon gaat hoor ik dat haar stem dieper is, rauwer. Van het roken natuurlijk. Ze rookte toen ook al een pakje per dag. Mooie strakke ronde billen. Weer draait ze zich om, al telefonerend. Haar ogen ontmoeten de mijne, dwalen dan verder door het lege café. Als ze klaar is met bellen zet ze een cassette op. Ik vraag of ze de muziek af wil zetten. Er is al zoveel lawaai op de wereld. Van de onrustig flikkerende maar geluidloze televisie, schuin rechts op een vooruitstekende plank boven de bar, zal ik niets zeggen. Het is de zon van iedere kroeg, bepalend voor de blikrichting en de gespreksstof van de barklanten.

Ze knikt kort en doet wat ik haar gevraagd heb. Als mijn glas leeg is pakt ze het vast en kijkt me vragend aan. Dezelfde lichtbruine ogen en hoge jukbeenderen. Het kan haar natuurlijk niet zijn. Ik kan niet anders dan knikken, opnieuw gevangen in die blik (het kan haar niet zijn, hoor je, het kan gewoon niet, iedereen wordt ouder, niemand uitgezonderd, niemand). Ze zet een vol glas op het viltje en pakt het bedrag van het stapeltje wisselgeld voor me.

Zelfs tegenwoordig denk ik nog wel eens aan haar, zoals we daar liepen langs het rechte Noordhollandse kanaal waar, verborgen achter een dijk, het vakantiehuisje van haar ouders lag en waar ze me mee naar toe nam om voor de eerste keer te vrijen.

Er komt iemand binnen, een jongeman in een donkerblauwe coltrui en jeans. Ze noemt hem bij zijn naam, Geoffrey. Ze hebben het over het orkestje dat hier zaterdag komt spelen. Ik hoef niets te zeggen. Ik luister alleen maar en kijk naar Karen die verandert in een meisje dat door de jongen Susan wordt genoemd en dan weer plotseling, in een flits, even Karen is, de Karen van vijftig jaar geleden die net zo haar schouders op kon trekken, de linker wat hoger dan de rechter.

Geoffrey bestelt een Budweiser die hij direct uit het flesje drinkt. Hij maakt een grapje en raakt, terwijl hij het flesje op de bar terugzet, even haar wang aan. Ze weert zijn hand lachend, maar niet al te beslist af.

Misschien was ik wel te verlegen. Dat ik haar daardoor ben kwijtgeraakt. Wat lig je toch naar me te kijken. Ik ben gelukkig dat je zo mooi bent. Laat het me voelen. En ik moest de minnaar spelen terwijl ik eigenlijk nog een jongetje was. Iedere jongen moet in zijn eerste meisje zijn moeder overwinnen, die grote warme borsten waar je je gezicht tussen wreef, die tepels waar je als een gulzige baby aan sabbelde, wie weet vanuit een oeroude herinnering.

Ik kijk naar het meisje dat Susan heet. Hoe vaak heb ik hier niet aan gedacht: Karen nog een keer tegen te komen. Even leken ze in elkaar te passen, dit barmeisje van de Tavern en zij. Ik sta op en ga weg. Als ze me naroept dat ik mijn wisselgeld vergeet wuif ik alleen maar even afwerend met mijn linkerhand boven mijn hoofd, alsof ik de gelijkenis met dat gebaar voorgoed uit mijn gedachten wil bannen.

Ik klim de steile Hancock Street en Dale Avenue omhoog, langs de keurig onderhouden huizen met hun planken veranda's, lege serres en sneeuwvrij gemaakte stoepen tot ik op Prospect Street sta. Achter in de Maplewood Sweetshop zitten twee vrouwen met losgeknoopte jassen een taartje te eten.

Philip zit achter zijn overvolle bureau in het antiquariaat te lezen. Hij noemt mij bij mijn achternaam. Dag meneer Klein. Mister Kline, zo spreken ze dat hier uit. Ik stap op hem af en hij kijkt een beetje verbaasd als hij mijn stevige handdruk voelt. Ik knik hem vergenoegd toe. Philip krabt zich in zijn rossige ringbaardje, excuseert zich dat hij geen koffie meer warm heeft staan en vraagt dan hoe *The Heart of the Matter* van Graham Greene is bevallen.

Die vraag overvalt me. Mijn hoofd staat er niet naar. Het is ook of ik haar maar half begrijp. Als een onafgemaakte zin. Je kunt naar de rest raden, maar er zijn meer mogelijkheden.

'Nog niet aan toegekomen,' zeg ik en om hem te plezieren zoek ik uit een van de wandkasten een ander boek van dezelfde schrijver uit. *Our Man in Havana.*

'Ik heb de film indertijd gezien,' leg ik uit. 'Met Alec Guinness.' Hij knikt maar aan zijn gezicht kan ik zien dat hij de film niet kent. Ik reken af. Hij loopt met me mee en houdt de deur voor mij open.

'Volgende keer blijf ik langer,' zeg ik. 'Ik houd wel van die lucht hier, die geur van oud papier, stof en drukinkt.'

Het pocketboek stop ik in de binnenzak van mijn gevoerde jas. Door kleine zijstraatjes zigzag ik langzaam en voorzichtig naar beneden, richting baai en haven. Ik loop de Western

Avenue af. Grote huizen staan daar, villa's met houtsnijwerk dat niet tot de daklijsten beperkt is, maar ook de ramen in grillig uitgesneden kelkvormen gevangen houdt. De zee is even rustig en muisgrijs als de lucht. De zuidwester van het schippersbeeld op zijn sokkel is met een witte sneeuwrand afgebiesd en ook de spaken van het stuurwiel dat hij met beide handen omklemd houdt terwijl hij naar zijn verdronken kameraden op zee tuurt dragen witte streepjes sneeuw.

Even voor mij stopt een auto aan de trottoirband. Door het achterraam zie ik Robert zenuwachtig om zijn as draaien. Vera buigt naar rechts en begint meteen opgewonden tegen me te praten terwijl ze het portier voor mij openhoudt.

'Ik heb me doodongerust gemaakt, Robert kwam alleen naar huis. Ik dacht dat je een ongeluk was overkomen. Overal heb ik rondgereden tot ik je eindelijk hier zag lopen. Hoe kun je die hond nu vergeten, Maarten. En om dan zo ver te lopen. Een ommetje zei je.'

'Ik ben naar het antiquariaat geweest,' zeg ik luchtig. 'Nog een boek van Graham Greene gekocht, *Our Man in Havana*. Naar die film met Alec Guinness, weet je wel?'

Om haar mond verschijnt een geïrriteerd trekje.

'Als je van plan bent om de halve dag weg te blijven kun je dat op zijn minst toch wel even tegen me zeggen.'

Ik zwijg. Natuurlijk, ze heeft gelijk. Robert legt zijn vochtige snuit op mijn ene schouder en drukt hem dan tegen mijn wang. We rijden langs zee. De lichtjes aan de overkant van de baai flikkeren in een lange flauw gebogen rij. En daar, helemaal op het uiterste puntje tast de lichtkegel van de vuurtoren met regelmatige tussenpozen het zwarte water af. Ik kijk ernaar tot hij in een bocht van de weg uit mijn gezichtsveld verdwijnt. Dan rijden we langs een front van besneeuwde dennen zwijgend naar huis.

Wat is het plotseling donker geworden. Het angstige gevoel is terug, plotseling, alsof ik deze dag door iets of iemand bedrogen ben, om de tuin geleid. Als we op het grindpad voor de veranda stoppen, stap ik snel uit en maak aan de andere kant het portier voor haar open. Ik pak haar bruine handtas aan en zeg: 'Het spijt me echt Vera, echt waar.' Ik loop achter haar en Robert het huis binnen, dat mij even met al zijn zwarte vensters tegelijk aanstaart.

Wat me nog het meest verontrust: dat de hond mij niet is gaan zoeken, mijn spoor niet heeft gevolgd. Zou Robert iets aan mij geroken hebben? Iets dat hem resoluut deed besluiten om te keren en alleen terug te lopen naar huis?

'Het is de winter,' zeg ik tegen Vera, 'die verdomde lange rotwinter ook,' terwijl ik nog wat sperziebonen opschep en er wat poeder uit een groen busje overheen strooi. 'Die winter maakt me onrustig, ongedurig.'

'Ik maakte me alleen maar ongerust,' zegt ze.

Met twee gestrekte vingers raak ik haar wang aan. 'Ik houd van je, Vera.'

Ze knikt verstrooid, alsof het niet helemaal tot haar doordringt wat ik zeg.

'Weet je nog dat we daar liepen, hand in hand, langs de vaart, op de oude slaperdijk? Aan de andere kant lagen beneden ons de polders en ertussen een sloot met gesnoeide wilgen erlangs. We liepen boven het land, boven de steenrode pannendaken van de daglonershuisjes en boerderijtjes. Uit een gat in de wolken viel opeens een plens zonlicht precies op de ruggen van een groepje zwartbonte koeien dat onverstoorbaar bleef doorgrazen. We stonden stil op het dijkje, jij en ik. Je sloeg een arm om mijn middel. Een gat in de wolken. Zo noem je dat toch? Een rafelig gat dat zich heel langzaam vanaf de randen weer sloot. We keken ernaar, op die dijk, hoog boven het land stonden we, jij en ik, en toen kusten wij elkaar.'

'Ik weet niet waar je het over hebt, Maarten.'

Ik pers mijn plotseling kurkdroge lippen op elkaar. Ik kijk naar het dofgele schijnsel van de schemerlamp en maak een gebaar alsof ik een vlieg van mijn voorhoofd verjaag. Dan grijp ik krampachtig de tafelrand vast.

'Je bent moe,' zegt ze. 'Ik zie het aan je. Je hebt slecht geslapen, de hele dag rondgelopen. Daar komt het vast van. Ga je nu even scheren voordat Ellen Robbins komt.'

'Ellen Robbins?'

Ik schrik van de plotseling ongestuurde agressie in mijn stem.

'Maarten, die komt hier zo vaak.'

Ik knik. Ellen Robbins. Natuurlijk. Ze vaart de kamer binnen als een slagschip.

'Waarom lach je?'

'Ellen Robbins die de kamer binnenvaart, ik bedoel die de kamer binnenkomt als een slagschip dat een haven binnenvaart.'

Ik moet nu eventjes zo lachen dat de tranen in mijn ogen springen.

'Hoe kom je daarbij?'

'Zomaar. Je moet toch toegeven dat ze zich niet bepaald als een ballerina beweegt.'

Nu moet ook Vera een beetje lachen gelukkig. Ik kijk om mij heen, laat mijn ogen langs de glimmende meubels glijden, de zwarte piano. Alles is weer in orde, op zijn plaats. We zitten tegenover elkaar aan tafel, Vera en ik, een brandende lamp hangt boven ons en zonet hebben we eventjes samen gelachen. Ik pak haar rechterhand, wrijf voorzichtig over de trouwring die ze nu met gemak af kan doen. Vroeger hadden ze hem een keer van haar vinger moeten zagen toen ze geopereerd moest worden.

'Weet je nog,' zeg ik, 'toen je geopereerd moest worden aan je buik en dat die ring muurvast zat. Met geen mogelijkheid was hij eraf te krijgen.'

'Niet zo hard trekken. Dat is twintig jaar geleden.'

'Ik moet nog iets doen,' zeg ik. Ik wrijf vergenoegd in mijn handen. 'Maar wat?'

'Je scheren,' zegt ze.

Ik schud mijn hoofd. 'Dat ook. Enfin...'

Een woord dat ik anders nooit zeg, enfin. Een woord van kantoor dat ik op vergaderingen wel eens als een reddingsboei uitwerp naar een van de collega's, wanneer die zich verstrikt in een ingewikkeld betoog. Enfin... Een formulering die een samenvatting suggereert die nooit komt. Moment van hulpeloosheid van een spreker dat de mannen rond de tafel allemaal even gegeneerd langs elkaar heen doet kijken. Bähr, Chauvas, Johnson en de broodmagere Karl Simic.

Ik loop de kamer uit, de trap op. Als ik mij scheer schiet het me wel te binnen wat ik nog meer moest doen. Boven aan de trap staat Robert op mij te wachten. Hij loopt met tikkende nagels over het zeil voor mij uit. Zo'n hond kent je levenspatroon, weet precies wat je gaat doen. Ik zoek naar het lichtknopje van de badkamer, maar ik kan het niet vinden. Waarom is het hier overal zo donker. Vera zou niet zo zuinig met het licht moeten omspringen.

'Maarten,' roept ze onder aan de trap. 'Wat doe je daar?'

En dan weet ik het opeens weer. Hout halen! Natuurlijk!

'Vooruit, Robert, we gaan houtblokken uit de schuur halen. Kom!'

Snel loop ik naar beneden. Vera staat me met haar handen in haar zij onder aan de trap op te wachten.

'Opzij,' roep ik schertsend terwijl ik de laatste trede afstap. 'Robert en ik gaan even hout voor je halen.'

'Er is nog hout genoeg,' zegt ze terwijl ze Robert bij zijn halsriem vastpakt. 'Wat deed je toch boven?'

'Boven hoort toch ook bij dit huis,' zeg ik een beetje stompzinnig.

'We komen er nooit meer, dat weet je best. En ga je nu eindelijk eens scheren. Ik wil niet dat Ellen je zo ziet.'

Ik loop naar de badkamer. Robert is met Vera mee. Die weet dat hij altijd wat van haar krijgt. Van mij krijgt hij alleen maar hout. Een stuk hout om achterna te rennen in het bos of aan het strand.

Ik bekijk mijn gezicht in de wastafelspiegel. Niemand kan eraan zien hoe ik er vroeger uitzag. Ikzelf ook niet. Enfin... Ik maak mijn gezicht vochtig, spuit een klodder scheerschuim op de toppen van mijn vingers en wrijf het kledderige witte spul met de vingers van mijn linkerhand over mijn wangen en kin uit.

Je moet de huid goed straktrekken, anders blijft het krabbertje in de plooien steken. Zwarte puntjes in witte scheervlokken draaien in de afvoer van de wastafel rond en verdwijnen dan door het rooster. Baardharen. Ander woord voor baard. Snor, sik, knevel. Oom Karel had knevels. Tot de vijftiende mei 1940. Toen Nederland capituleerde schoor oom Karel zijn trots omhoog wijzende knevels af. Uit protest. Een eerste en laatste verzetsdaad. Op de bank had iedereen het direct begrepen. Eerst hadden ze allemaal even verwonderd gekeken toen hij binnenkwam met zijn kale gezicht. Hij had met twee vingers van zijn rechterhand over zijn gladde bovenlip gestreken en toen, een beetje verontschuldigend, zijn schouders opgehaald. Iedereen had het begrepen, zei hij. De Duitsers. De rotmoffen. De koningin in Engeland. En dus restte oom Karel niets dan zijn knevels af te scheren. Bijna een logisch gevolg van de geschiedenis.

'Zo, dat ziet er weer knap uit, Maarten.'

Niet in jezelf praten. Tenminste niet als anderen je kunnen horen. Als je praat hoor je het tegen een ander mens te hebben, niet tegen jezelf.

Het is net of ik twee stemmen hoor, twee vrouwenstemmen. We hebben toch geen bezoek? Misschien de radio.

Voorzichtig doe ik de deur open en loop de gang in. Vera's stem. Ik probeer niet te luisteren naar wat de stem in de kamer zegt en druk mijn nagels in mijn handpalmen. Doodstil blijf ik staan.

'Ik maak mij echt zorgen. Je ziet niets aan hem. Maar dat maakt het juist zo angstig. Soms vertelt hij dingen over ons die ik helemaal niet heb meegemaakt. Alsof ik in zijn ogen een ander ben. En dan weer herinnert hij zich een heel stuk van zijn eigen verleden niet meer. Ik voel me zo hulpeloos omdat ik niet weet hoe ik hem moet helpen. En het is zo plotseling gegaan. Praktisch van de ene dag op de andere werd hij zo.'

Vera moet zich niet zo'n zorgen maken. Snel loop ik de kamer in en blijf dan stijf van schrik staan.

Er zit een robuuste vrouw op mijn plaats aan tafel. Een streng wijf met een muisgrijs mantelpak aan en haar zwarte haar in een knoet met een houten speld erdoor gestoken achter op haar hoofd. Dan zegt ze mijn naam en dan herken ik haar weer. Natuurlijk.

'Dag Ellen,' zeg ik timide als een kind en druk haar dan spontaan de hand. Alsof ik met dat gebaar het moment wil goedmaken dat ik haar zoëven in de deuropening niet herkennend heb aangestaard.

'Wat ben jij formeel vandaag, Maarten,' zegt ze. Ze lacht en ook Vera lacht wat. Misschien is alles ook wel grappig, al zie ik niet precies in wat er eigenlijk te lachen valt. Maar enfin...

'Hoe is het met Jack?' vraag ik.

Hun gezichten verstrakken. Raadselachtig hoe snel mensen van gelaatsuitdrukking kunnen wisselen. Gedachten kun je niet lezen. De taal zegt dat wel, maar de werkelijkheid is anders. Gezichten zijn net als het zeeoppervlak. Ze veranderen voortdurend onder invloed van talloze, tegengestelde en onzichtbare onderstromingen.

'Ik herken mensen altijd het best aan hun stem,' zeg ik. 'Ik heb een slecht geheugen voor gezichten, maar stemmen die herken ik direct.'

Het gesprek moet voortgang vinden. Hun gezichten, aan weerskanten van het ronde lampschijnsel, vertonen nog steeds die starre gipsachtige uitdrukking.

'En als iemand dood is,' zegt Ellen Robbins. Haar stem beeft en Vera legt in een beschermend gebaar haar hand op Ellens arm.

'Cassettes, tapes,' vervolg ik. 'Veel mensen doen dat tegenwoordig. Voor later. Je hoort iemands stem en zijn hele gestalte keert voor je ogen terug. Door zijn stemgeluid zie je hem weer helemaal voor je. Tot in de kleinste details.'

Het vlot niet. Ik merk het wel, ze willen mij er niet bij betrekken. Ik draai me om en loop de achterkamer in, naar de piano. Ik ga op de kruk voor het instrument zitten. Ik leg mijn vingers in een akkoord op de toetsen en plotseling is het alsof mijn hele lichaam weer vol zinvolle kennis stroomt. Ik begin te spelen, het adagio uit Mozarts Veertiende Pianosonate. Sinds hoe lang ken ik dat al niet uit mijn hoofd? Wat betekent dat, muziek 'uit je hoofd kennen'? Het is een kennis die je je niet kunt voorstellen, niet onder woorden kunt brengen maar die direct, zonder omweg van taal en gedachten van je vingers het instrument in stroomt.

In de andere kamer hoor ik twee vrouwen zacht met elkaar praten. Ik pak een album van de piano en zet het opengeslagen op de muziekstandaard. Het eerste menuet uit de Vierde Engelse Suite van Bach.

Greet Laarmans tikte me hier altijd op mijn vingers. Je speelt niet wat er staat. Ik kan nog wel spelen, maar het tempo is eruit. Aarzelend en traag klinkt mijn spel, log en krukkig. Ik zou meer moeten studeren. Opeens ebt al het plezier uit mijn handen weg. Ik druk de pedaal in en laat midden in het menuet de tonen wegsterven. Een tijd lang blijf ik naar de zwarte en witte noten staren, verstard tussen de balken en maatstrepen van de bladmuziek. Dan sluit ik de klep.

Het is stil in huis. Zou Vera al naar bed zijn? Gebeurt wel meer dat ik 's avonds nog even een stukje speel voor ik ga slapen. Vera vindt het prettig als ik speel terwijl zij in bed doezelt of nog wat ligt te lezen, het boek tegen het witte nachtkastje gesteund, het ronde leesbrilletje voor op haar neus.

Op de wandklok is het pas zeven uur. Staat zeker stil. In de keuken hangt nog een klok, een elektrische.

Vera staat in de keuken met een schort voor. Met een houten pollepel roert ze in een dampende pan soep op het fornuis. Ik kijk naar de vuurrode keukenklok.

'Ik heb geen trek,' zeg ik. 'Het is pas zeven uur zie ik, maar voor mijn gevoel is het veel later.'

'Dat komt omdat je moe bent,' zegt ze terwijl ze doorgaat met roeren. 'Je hebt slecht geslapen, lang gewandeld. Ga maar naar bed.'

'Kinderbedtijd,' zeg ik. Ik bedoel het als een grapje maar mijn woorden komen er heel anders uit. Alsof ik het tegen kinderen, echte kinderen heb die zeuren om nog wat op te mogen blijven. (Vroeger had ik zelf kinderen, Kitty en Fred. Ik heb ze opgevoed en nu zijn ze weg, zie je ze nooit meer...)

Als kind had je dat vaak. Je werd 's morgens wakker en de muren van je kamer stonden verkeerd om je heen. In gedachten moest je de kamer een slag draaien zodat alles weer klopte en je op kon staan, de deur door, de dag in.

Met mijn handen onder mijn hoofd gevouwen kijk ik naar de azuurblauwe katoenen slaapkamergordijnen terwijl ik in gedachten de kamers van het huis weer op hun plaats zet. Vera moet al op zijn, al hoor ik geen geluiden. Het licht is, zelfs getemperd door de gordijnen, kaal en hard. Het heeft vannacht opnieuw gesneeuwd, denk ik.

Ik stap uit bed en schuif de gordijnen open. Zo te zien is er geen nieuwe sneeuw bijgekomen. Roberts sporen liggen diep verzonken in de sneeuw, aan de randen minder scherp dan bij verse prenten het geval zou zijn. De toppen van de dennen steken roerloos als bezems in de lucht. Een smal uitgelopen paadje loopt van de veranda naar de mosgroene schuur rechts achter in de tuin.

Ik poets mijn tanden en zoek ondertussen naar woorden, een formulering voor wat ik voel. Alsof er iemand in mij zit die zich een ander huis herinnert, waarvan de indeling soms dwars door die van dit huis heen loopt. Kamers horen absolute zekerheden te zijn. De manier waarop zij in elkaar overlopen hoort eens en voor altijd vast te liggen. Een deur moet vanzelfsprekend geopend kunnen worden. Niet in angst en onzekerheid omdat je geen idee hebt wat je erachter zult vinden.

Ik sta voor de klerenkast. Ik kies voor vandaag het zwarte kostuum dat ik bij Rowlands in Lafayette Street heb gekocht. Vanwege de diepe binnenzakken. Zelfs mijn bureau-agenda past erin. Ik voel iets in de linkerbinnenzak.

Een ansichtkaart met een afbeelding van een spierwit gepleisterd Mexicaans kerkje. De zon moet er pal boven staan want nergens is een schaduw te bekennen. De openstaande deur is een gewelfd zwart gat. *Liefs* – Kitty. Een poststempel van zes jaar geleden. Natuurlijk een grap van de een of andere collega. Zou me niet verbazen als het Maurice Chauvas is geweest. Altijd vol verhalen over zijn slippertjes. Hij weet dat ik daar niet van gediend ben. Denkt zeker dat Vera mijn zakken controleert als ik van kantoor thuiskom. Ik trek een riem door de lusjes van mijn broek, gesp hem dicht en stap dan de slaapkamer uit. Sinds ik geen bier meer drink ben ik flink afgevallen.

Vera zal al wel naar de bibliotheek zijn. Maandag- en

woensdagochtend heeft ze daar vrijwilligersdienst. Fiches maken. Dat doen ze daar nog met de hand. Ze heeft er het handschrift voor. Klein, rechtop en duidelijk.

Ik loop naar de keuken en trek de deur van de ijskast open, die prompt aanslaat, alsof hij mij brommend en trillend goedemorgen wenst.

Als je eenmaal begint te eten is er ook geen houden meer aan. Kauwen, dat doet goed. Je moet altijd goed kauwen, langzaam, tot alles in kleine stukjes vermalen is. Dan pas slikken. Die kip smaakt trouwens naar meer. Hier Robert. Ik gooi hem wat afgekloven botjes toe. Eens verder kijken. Leverpastei en een plak koele ananas uit blik ernaast. Robert heeft ook nog trek. Hij kan de helft van deze rol cookies krijgen, maar meer ook niet. De rest eet ik op. Het is slecht werken op een nuchtere maag. Bovendien ben ik altijd bang dat ze onder de vergadering dat gerommel van mijn ingewanden zullen horen. Ingewanden. Als je daaraan denkt en je kijkt de glimmend gepolitoerde tafel langs en je ziet ze daar allemaal zo zitten in hun pakken, met hun papieren voor zich en binnen in die pakken zit het vol bloed en meters opgerolde darmen en een pompend hart, als je daaraan denkt kun je je lachen bijna niet meer houden. Lekker, die ijskoude sinaasappelsap, zo uit de fles je mond in laten lopen. Ook een beetje ernaast, maar wie daarop let. Even het keukendoekje erover en je bent weer de meneer.

'Kom, Robert, het wordt tijd. De rommel ruimen we vanavond wel op.'

Hoe vaak heb ik Vera niet gezegd van mijn bureau af te blijven. Mijn tas staat keurig op zijn plaats eronder, maar waar zijn de papieren? Misschien worden ze ter vergadering uitgereikt. Dat gebeurt wel meer bij een speciale tussentijdse vergadering. Laat ik mijn tas toch maar meenemen want er komen altijd nieuwe stukken bij. Papieren produceren, daar zijn we bij de IMCO goed in. Rapporten over de vangst van het afgelopen kwartaal, prognoses over de trek van de zalm. Zolang ik bij de IMCO werk zijn die nog niet uitgekomen. Alleen de kreeft is betrouwbaar, zowel wat zijn verplaatsing als zijn aantal betreft. Maar wat hebben die vissen ook te maken met een stel heren ergens hoog en droog boven in een kantoorgebouw in Boston, dat hun vangst een beetje eerlijk over de verschillende landen van de wereld zou willen verdelen? Als je zo gaat denken, zei Leon Bähr eens tegen me, dan kun je beter thuis blijven. Maar dat doen we dus niet. We buigen ons over computerstaten, modellen en scenario's en de stapel papieren groeit en groeit en de vissen in de zeeën zwemmen en zwemmen en hebben geen weet van ons bestaan.

Zoeken. Als ik ergens een hekel aan heb. Waar zijn mijn sleutels? En welke idioot heeft alle deuren op slot gedaan? Robert loopt braaf achter mij aan terwijl ik de keukendeur, de deur van het washok en de buitendeur probeer. Vera moet hem op het vakantieslot hebben gedaan. Hoe kan ze nou zo iets stoms doen?

Ik loop naar de telefoon en bel de bibliotheek. Aan een meisjesstem leg ik uit wie ik ben en of ik even mijn vrouw kan spreken, dat het heel dringend is want dat ik zo dadelijk naar een belangrijke vergadering moet. Ze vraagt me een ogenblikje te wachten, maar dat ogenblikje duurt zo lang dat ik de telefoon ten slotte woedend op de haak smijt. Ik moet naar die vergadering. Nu. Zonder secretaris zijn ze nergens.

Op de plank in het washok vind ik meteen wat ik zoek. Ik pak de schroevedraaier en de hamer uit de houten gereedschapskist en loop naar de deur van het washok.

Het gaat gemakkelijker dan ik gedacht had. Ik wrik de schroevedraaier tussen de deur en de deurpost. Na een paar

klappen springt hij naar binnen toe open. Robert glipt meteen naar buiten en blaft een paar keer, opgelucht dat ook hij
uit zijn gevangenschap verlost is.

Ik loop snel terug naar de gang, schiet mijn jas aan en pak
mijn tas uit de kamer. De schroevedraaier en de hamer doe
ik er zolang maar in. Het is kwart voor elf zie ik in het voor-
bijgaan. Dat wordt flink doorstappen dus.

Robert vindt niets fijner. Hij draaft voor mij uit, nu weer
rechts dan weer links van het pad het besneeuwde bos in-
schietend om mij dan een eind verderop met kwispelende
staart en dampende bek op te wachten.

Dit is geen officiële weg maar een buurtpad. Het loopt
langs het stenen huis van de Cheevers en de slordige houten
bedoening van Pat en Mark Stevens. Hun tuin is één grote
junkyard. Nu staat er weer een half gesloopte wielloze vuurrode pick-up car die blijkens de zwarte letters op de portier-
deur heeft toebehoord aan *Nortons Hardware Store*. Vlak
achter het huis van Pat en Mark houdt het bos op en beginnen de duinen. Ze hebben de kleur van gebleekt corduroy.
Of van matting. De wind heeft ribbels in de sneeuw onder
tegen de duinhellingen gelegd. Net gestolde golven. Ik ben
de eerste, dat zie ik aan de overal ongerepte sneeuw. Het is
misschien wel een beetje vreemd, maar toch ook wel weer
een gepaste plaats voor een IMCO-vergadering, zo dicht bij
zee. Robert holt een duin op, maar die twee kraaien laten
zich heus niet door jou vangen, Robert.

Hij leeft in dezelfde wereld als ik, maar toch moet hij iets
heel anders ervaren. Dat kun je uit zijn gedrag afleiden. Vlak
boven de grond moet een wereld van geuren zweven die hij
opgewonden snuffelend doorkruist. De sneeuw legt zijn sporen vast. Voor mij vormen ze een zinloos netwerk. Alleen
maar gevolgen. Nergens een oorzaak, laat staan een systeem
te bekennen.

Ik ken hier goed de weg. Als ik langs de geplante rijen helm links aanhoud, kom ik op een schelpenpad dat regelrecht naar het leigrijze huis leidt waar de vergadering wordt gehouden.

Even heb ik moeite het pad te vinden maar dan hoor ik de schelpen onder mijn schoenen kraken en zie ik het grijze dak al boven een duin uitsteken. Robert wil verder maar ik fluit hem terug.

Ik loop het met sneeuw volgewaaide trappetje naar de veranda op en kijk naar binnen. Een witgelakte tafel met vier stoelen eromheen. Hier is het. Het verbaast me niet dat ik de eerste ben, dat is altijd zo. Bähr heb ik nog nooit op tijd zien komen, al is hij dan de voorzitter. Johnson en Simic bellen altijd op dat ze onderweg zijn en Chauvas maakt grapjes over zijn afspraakjes die voortdurend uit de hand lopen. Ik notuleer het moment van hun binnenkomst niet maar wel het tijdstip waarop Bähr de vergadering opent. Een subtiele verwijzing naar de officiële aanvangstijd boven aan de agenda. Maar vandaag is er geen agenda en dus nemen de heren het kennelijk niet zo nauw.

Naast de grasgroene deur zit een koperen bel. Ik druk erop maar hoor niets, leg mijn oor tegen de deur en druk nog eens. Bel defect. Ik draai mij om. Robert staat kwispelend op de besneeuwde veranda. Een paar meeuwen zeilen op de onzichtbare thermiek boven de golvende duinenrand. Verder niemand. In geen velden of wegen.

Ik maak mijn tas open, pak de schroevedraaier en de hamer. Dit keer gaat het een stuk lastiger. De klappen klinken luid, hard en droog en zo nu en dan kijk ik even vlug over mijn schouder want een secretaris die een deur forceert is geen alledaagse verschijning, dat besef ik heel goed.

Het is bar koud hierbinnen. Geen kachel te bekennen. Robert loopt het keukentje in maar daar staat alleen een leeg theebusje op de granieten aanrecht. Een bijna vijandige kale omgeving. Wat heeft hen bezield om hier af te spreken. Of zou ik het verkeerd begrepen hebben? Of me hebben vergist in de datum. Waren er wel vergaderstukken en heb ik die om de een of andere reden niet ontvangen?

Ik ga aan tafel zitten en kijk door het raam de besneeuwde duinen in. 's Zomers houd ik van dit landschap met zijn wat fletse, afgeschuurde kleuren en stugge struiken en weerbarstige distels, van de wind die door de rijen helm op de duinflanken trekt, maar nu stuiten mijn ogen af op een kaal en onverschillig terrein. De lucht erboven is grijs en gesloten. Die verdomde rotwinter ook.

Ik weet het wel, een secretaris hoort er wel en ook weer niet bij. Hij is eigenlijk een randfiguur. Maar als ze komen heb ik een leuk nieuwtje voor ze. Ik zal opstaan als ze binnenkomen. Ik zal ze eerst laten plaats nemen, hun papieren uit hun tas laten halen en voor zich op tafel uitspreiden en rangschikken. Rustig, alle tijd. Dan zal ik opstaan en het woord vragen.

'Mijne heren. Al geruime tijd heb ik zo mijn twijfels over de doelmatigheid van onze vergaderingen. U weet natuurlijk net zo goed als ik dat de aanbevelingen over vangstquantums (want meer dan aanbevelingen zijn het en kunnen het niet zijn) door de betrokken landen ontdoken worden door het inhuren van schepen onder vreemde vlag. De statistieken en vangstresultaten van het afgelopen jaar stemmen niet overeen met de werkelijkheid en bovendien heeft geen vis zich in zijn zwemgedrag nog ooit door onze computerprognoses laten leiden. Tot nu toe vertel ik u niets nieuws, alhoewel wij angstvallig proberen de betrekkelijke doelloosheid van onze organisatie voor de buitenwereld en voor elkaar verborgen te houden. Er is nu echter iets bijgekomen: de uit Japan afkomstige totaal geautomatiseerde vissersvloot. Verbaasd? Ik begrijp het, maar als u mij nog even de tijd gunt.

Met behulp van hydrofoons maakt men eerst onderwater-opnamen van vissegeluiden die betrekking hebben op het vinden van voedsel. Deze opnamen worden vervolgens met behulp van zeer krachtige luidsprekers onder water afgespeeld. Zo wordt de vis over grote afstanden naar een bepaalde plek gelokt waar zich een totaal geautomatiseerde, door computers op afstand bestuurde vissersvloot bevindt. De vloot maakt gebruik van zogenaamde elektrische visnetten. Er wordt een elektrisch veld in zee uitgezet. De vis die dat veld binnenzwemt raakt verlamd en wordt door middel van enorm krachtige pompen de schepen binnengezogen.'

Plotseling ben ik misselijk. Ik haal nog net de veranda. Over de balustrade hangend leegt mijn maag zich in de sneeuw, een smerige bruine dampende brij waar zelfs Robert geen belangstelling voor toont. Ik heb het koud.

Wat doe ik hier? Zomers wonen hier mensen uit Boston, een kale man en zijn kleine zwarte vrouw. Gelukkig kan de deur nog zo dicht dat je van buiten af nauwelijks kunt zien dat hij is opengebroken. Hier zou ik wel eens last mee kunnen krijgen. Ik loop zonder om te kijken het schelpenpad af, richting zee. Als ik langs het strand terugloop is er weinig kans dat iemand mij zal zien. Laten we hopen dat het snel weer gaat sneeuwen en al mijn sporen worden uitgewist.

Ik wil naar Vera. Ik wil haar tegen mij aan drukken en zeggen dat het mij spijt. Dat ze me niet zo alleen moet laten. Al het verkeerde gebeurt omdat men mij alleen laat.

'Kom, Robert, kom, we moeten meteen naar huis.'

Een schrale wind en het uitruisen, zuchten van de zee over het harde gladde strand. Ik kijk naar het aanspoelende schuimende water. Daaronder trekt een tegenstroom over het zand snel terug naar zee. Ik word duizelig als ik lang naar die tegengestelde stromingen kijk.

De meeste mensen spreken over 'zilte zeelucht' maar ik

noem het de 'witte geur'. Die touwbruine vogeltjes die daar langs de vloedlijn dribbelen zouden vermoedelijk begrijpen wat ik bedoel.

Ik begin mijn gevoel weer terug te krijgen, mijn gewone gevoel. Alsof mijn bloed opnieuw begint te stromen. Zo'n flinke wandeling zou ik meer moeten maken. Deed ik vroeger 's winters met pappa. Dik aangekleed op de fiets over de Bergense weg naar Bergen-Binnen waar we afstapten voor een kop erwtensoep en dan in één ruk door naar het strand. Daar zetten we de zware fietsen in het berghok van een EHBO-post en dan liepen we naar Egmond en terug. De Nederlandse wind was gemener, scherper dan deze.

Dan zie ik de lange witte vlaggestok van het Atlantic Motel boven de laatste duinwal uitsteken. Robert weet precies hoe we moeten. De houten trap naar het strand ligt half onder de sneeuw, maar de leuning geeft precies aan waar hij loopt. Robert snuffelt aan een half uit het zand omhoogstekende gele plastic krat.

Op de Atlantic Road moet ik even blijven staan om uit te blazen. Robert draait ongeduldig om me heen. Dan lopen we met de zee en de wind in de rug op huis aan. Als we langs het bakstenen huis van de Cheevers komen roep ik Robert bij me. Voor je het weet is hij verdwenen, op zoek naar Kiss, het witte keeshondje van de Cheevers.

Vera's lichtblauwe Datsun staat voor de veranda geparkeerd. Ik loop het trappetje op en kijk door het raam. Ze staat te telefoneren. Ik tik tegen de ruit, maar dat hoort ze niet. Dan plotseling ziet ze me. Van schrik laat ze de telefoon uit haar hand vallen. Ik zwaai en loop door de openstaande voordeur het huis binnen.

Als ik de voorkamer in kom zit ze met gevouwen handen aan tafel. Haar gezicht kijkt hulpeloos naar me op, als van een kind dat angstig afwacht wat de volwassenen nu weer voor haar in petto hebben.

'Geef je jas maar.'

Ze moet op haar tenen gaan staan om me uit mijn jas te helpen. Ik ga aan tafel zitten terwijl Vera mijn jas aan de kapstok hangt. Ze komt terug met een boek in haar hand, een pocket met een groen omslag. Een man in een regenjas kijkt van opzij omhoog naar een stralend verlicht hotel boven op een heuvel. *Our Man in Havana* is de titel.

'Gaat het over Cuba?' informeer ik. Ik weet dat Vera zich interesseert voor politiek. Ze wil iets antwoorden maar bedenkt zich dan en gaat weer zitten terwijl ze het boek omgekeerd op tafel legt.

'Maarten,' zegt ze, 'waar was je?'

Ik haal diep en opgelucht adem. 'Een lange wandeling,' zeg ik. 'Ik heb besloten in het vervolg meer lange wandelingen te gaan maken. Goed voor de bloedsomloop. Je had eigenlijk mee gemoeten, maar toen ik wegging was jij al weg. Waar was je?'

'Bij dokter Eardly.'

Ik schrik. 'Er is toch niets met je?'

Ze legt haar handen op de mijne. 'Ik ben voor jou geweest, Maarten. Je bent de laatste tijd zo onrustig. Je doet dingen die je je even later niet meer herinnert. Vreemde dingen. Ik ben er eens met dokter Eardly over gaan praten.'

'Ik voel me kerngezond. Vreemde dingen? Wat voor vreemde dingen dan?'

'Toen ik thuiskwam lag de hele keuken vol afgekloven kippebotjes.'

'Robert,' zeg ik aarzelend.

'Een halve kip, Maarten. 's Morgens op je nuchtere maag heb je een halve kip op zitten eten. En een blikje leverpastei. En een stuk of wat ananasschijven en een rol koekjes.'

'Een gezonde eetlust voor een oude man, ik kan niet anders zeggen.'

'Het is niet om te lachen, Maarten. Maar dokter Eardly heeft gezegd dat we er samen iets aan kunnen doen. En voor 's nachts heb ik tabletten meegekregen.'

'Ik slaap anders uitstekend.'

'Soms sta je midden in de nacht op. Kleed je je aan. Dan weet je het verschil tussen dag en nacht niet meer.'

'Die verdomde rotwinter ook,' mompel ik. Ik kijk haar doordringend, bijna streng aan, alsof ik haar wil overtuigen. Maar eigenlijk smeek ik haar om begrip voor iets dat ik zelf ook niet begrijp. Iets dat mij plotseling overkomt en even plotseling weer verdwijnt, een donkere schaduw van paniek achterlatend, die langzaam wegebt tot het lichte gevoel van onbehagen dat ik nu bijna de hele dag voel.

'Ik weet wat eraan schort,' zeg ik. 'Chauvas zei het laatst op een vergadering ook tegen mij. Beste Maarten, zei hij, weet je dan niet meer dat we daar de vorige vergadering nog uitgebreid over hebben gesproken? Sla het maar na in je eigen notulen. Ik ben al tijden wat vergeetachtig.'

'Je bent vier jaar geleden voor het laatst op een IMCO-vergadering geweest,' zegt ze.

'Natuurlijk, natuurlijk,' zeg ik. 'Dacht je nu heus dat ik dat niet meer wist?'

'Je moet het veel kalmer aan doen van dokter Eardly. Voorlopig moet je binnen blijven. Je herinnering is een beetje in de war. Samen moeten we het verleden weer in goede banen leiden; ons verleden, Maarten.'

'Niet zo treurig kijken, Vera,' zeg ik. 'Ik herinner me van alles.'

'Ik kan je helpen,' zegt ze zachtjes. 'Bijna vijftig jaar zijn we samen. Dokter Eardly heeft gezegd dat het allemaal weer goed kan komen.'

'Wat weet die Eardly van mij? Ik ben in al die tijd dat we hier wonen misschien twee keer bij hem geweest.'

'Je moet je niet zo opwinden. Hij heeft beloofd binnenkort langs te komen.'

'Dokters,' zeg ik smalend. 'En dan vooral hier in dit land met zijn gezondheidssyndroom. Ze doen niets anders dan de farmaceutische industrie op de been houden, de pillenfabrikanten.'

'Je moet je niet zo opwinden.'

'Dat zei je net ook al.'

'Dat weet ik.'

'Maar wat moet ik dan?' Mijn stem klinkt opeens dof en timide, alsof ik toegeef dat ik ziek ben. Daarom zeg ik ter compensatie: 'Wie het eerst komt, het eerst maalt' (een subtiele toespeling op mijn toestand, want ik heb al lang door wat die dokter Eardly van mij denkt).

'Vertel eens wat je vanmorgen hebt gedaan?'

Geen paniek. Ik moet vanhier uitgaan. Waar ik nu zit. De sneeuw buiten. De kamer. Deze tafelrand die ik met beide handen vasthoud.

'Denk maar rustig na.'

'Gewoon,' zeg ik. 'Wat ik altijd doe. Opstaan, wassen, aankleden, scheren, koffiedrinken, iets gegeten.'

'Kip?'

'Kip? Nee, gewoon een toostje met marmelade, Tinbury's marmelade, uit dat gele potje met die zwarte deksel, weet je wel.'

'Je hebt een halve koude kip uit de ijskast opgegeten. Een blikje leverpastei, een paar ananasschijven en een rol koekjes.'

'Ik vind dit een pijnlijk verhaal. Ik kan het er in grote lijnen en in details niet mee eens zijn.'

'Tegen wie heb je het?'

'Vera,' zeg ik, licht hijgend en snel, 'nu moet je eens goed luisteren. Ik doe geen vlieg kwaad. Ik ben vanmorgen met Robert wezen wandelen. Langs het buurtpad. Bij Stevens stond een pick-up car uit Salem in de tuin. Een rooie zonder wielen. Ga zelf maar kijken. De bekende rotzooi. Pat zag ik niet. En Robert zat achter de kraaien aan. We zijn naar het strand geweest. Tegen de wind in. De witte geur was overal om mij heen. Maar dat dacht ik alleen maar omdat andere mensen altijd over zilte zeelucht spreken, Pappa ook, die heeft het ook altijd over zilte zeelucht.'

'Je vader is in 1956 overleden.'

Ik pak een boek dat tussen ons in op tafel ligt en draai het met een woedende klap om.

'Dacht je nu heus dat ik dat niet meer weet? Resumerend, dat zegt Bähr altijd aan het eind van een vergadering: langs zee gelopen, eindje de Atlantic Road af en toen op huis aan. Wind in de rug. Nog iets voor de rondvraag?'

'Je hebt met de bibliotheek gebeld.'

'Toen ik thuiskwam stond je te bellen,' antwoord ik. 'Ik zag je door het raam. Ik tikte tegen het glas maar je hoorde me niet. Ik zwaaide en toen je me ten slotte zag liet je van schrik de hoorn uit je hand vallen.'

'Het was Joan van de uitleen.'

'Ik wil niet meer dat je daar werkt,' zeg ik. 'Je moet nu bij mij blijven, Vera. Als ik alleen ben loopt alles verkeerd. Ik weet ook niet waarom.'

'Ik werk daar al lang niet meer, Maarten.'

'Goed,' zeg ik. 'Dan is het goed.'

Haar smalle gezicht met het bruine haar dobbert op haar gerimpelde hals en haar ogen staan plotseling zo dof en droevig dat ik opsta om haar te troosten. Het bloed bonst in mijn slapen en ik leg mijn handen op haar schouders.

'Niet zo hard,' zegt ze.

Koud en gevoelloos zijn mijn handen. Ik trek ze terug, kijk naar de palmen en laat ze dan langzaam slap langs mijn lichaam vallen.

'Ik ken het gevoel,' zeg ik. 'Alsof iemand je in je eigen huis heeft opgesloten. Zo'n gevoel. Maar er is altijd een uitweg, Vera, altijd.'

Ik begrijp best dat ze nu huilen moet. Ik ga weer zitten. 'Ik ben bij je,' zeg ik. 'Wat er ook gebeurt, ik ben bij je. We zullen eraan moeten wennen dat onze wereld kleiner geworden is, dat je steeds minder mensen ziet, dat je schrikt als de telefoon gaat, dat alle dagen op elkaar gaan lijken. Maar wij hebben elkaar, Vera, vergeet dat niet.' En zachtjes streel ik haar door haar haar. Laat haar maar even uithuilen. Ik begrijp het best.

Een mens kan een tijd lang kijken zonder te zien. Kijken kan Robert ook, maar het theebusje en de kaasschaaf herkennen kan hij niet. Hij kijkt zonder te zien, bedoel ik. Neem zelf de proef maar eens. Je drinkt altijd koffie van een bepaald merk en omdat dat in de drugstore opeens niet meer voorradig is, neem je een ander merk, een andere bus. Als je de volgende dag koffie wilt maken, zoek je overal naar de koffiebus. Het herinneringsbeeld van de oude bus is zo sterk dat hij de bus van het nieuwe merk, de aanwezige bus, vlak voor je neus op de keukenplank, onzichtbaar maakt. Om iets te zien moet je eerst iets kunnen herkennen. Zonder herinnering kun je alleen maar kijken. Dan glijdt de wereld spoorloos door je heen (onthoud dit nu goed, want zo kun je Vera veel verklaren).

Ik sta voor het raam van de achterkamer en kijk naar twee magere eekhoorntjes die elkaar achterna zitten over de stam van een scheefgegroeide berk. Hoe die grijze pluimstaarten golven. Hopla! Een klein danspasje is hier op zijn voet, nee... nee... pas... pas op de plááts! Een lek. Ergens zit een klein lek. Het denken stremmen. Zo iets zou Simic hebben kunnen zeggen op een van de spaarzame momenten dat hij iets te berde bracht. De lange smalle zwijgzame Karl Simic, broos als porselein, voorzichtig, verlegen en behoedzaam kijkend met zijn wat loensende donkere ogen. Het denken temmen. Simic kon trouwens aardig piano spelen. De hele Bolero van Ravel. Uit zijn hoofd. En hij was nog dronken ook. En een lied over een schip met zo en zoveel kanonnen. Daar zong hij bij, in het Duits, zijn ogen op het plafond gericht. Eén keer maar ben ik bij hem thuis geweest. Ter gelegenheid van zijn vijfenveertigste verjaardag. Kind noch kraai had hij. Na een paar whisky's in die cocktaillounge in Boston nodigde hij me bij zich thuis uit. Hij deed maar één schemerlamp aan. In het halfdonker vertelde hij een verhaal over hoe zijn vrouw of vriendin hem had bedrogen met zijn beste vriend, dat hij een briefje had gevonden dat daar geen twijfel over liet bestaan, hoe hij de straat was opgegaan en een fles Bourbon had gekocht en hoe hij die samen met die vriend had leeggedronken terwijl ze redetwistten over de literaire kwaliteit van Hemingways romans. Ten slotte liep het meningsverschil zo hoog op dat de vriend had geroepen: als er nog eens een oorlog komt zul jij het kamp niet overleven, ik wel.

Simic mompelde en ik moest me vooroverbuigen om hem te verstaan.

Dat had hij niet moeten zeggen, fluisterde hij. Dat had hij niet moeten zeggen. Waarom niet, vroeg ik. Omdat het de waarheid is, had hij geantwoord.

Wij dronken die avond geen Bourbon maar wodka met ijs. Ten slotte werd Karl zo dronken dat ik hem op bed moest leggen. Hij woog niet veel meer dan een kind. Daar bleef hij doorzingen. Sombere Slavische liedjes waar ik geen woord van verstond. Veel boeken had hij daar in zijn slaapkamer. En een groot schilderij van een in de lucht zwevende balletdanseres. Ik zat op de rand van het bed. Karl was uitgezongen. Ik was ook niet meer helemaal nuchter. Hij lag met zijn rug naar me toe. Ik begon over Vera te vertellen en over de enige keer dat ik haar ontrouw was geweest. In Parijs.

Ze kwam tegenover me zitten in een overvol restaurant dat me door Leon Bähr was aangeraden. Ze was dik en donker. Een glimmende zwartzijden blouse had ze aan; iets zigeunerachtigs, vrijgevochtens had ze. Het is moeilijk om iemands blik te ontwijken die nauwelijks vijftig centimeter van je af tegenover je aan tafel zit.

Ik at entrecôte au poivre. Ook zij bestelde dat. Daarna nam ik een coupe dame blanche. Zij ook. Ik lag steeds een gerecht op haar voor en keek toe hoe ze at, met hele kleine hapjes, maar ze liet niets liggen. Hoe dun haar vingers waren viel me pas op toen ze me bij de koffie en cognac had ingehaald. Ze hield het glas vast als was het een babyhandje. Ze was traag en ze was sierlijk. Ze had de macht over haar lichaam nog niet verloren, zoals de meeste dikke mensen.

We stootten de cognacglazen heel licht tegen elkaar en noemden onze naam. Maarten, Sylvie. Alsof het de glazen waren die zo heetten. En dat was ook zo. Onze namen, onze verledens deden er die avond niet toe. Dat ritueel herhaalde zich nog drie keer. Toen waren wij de enig overgeblevenen in het restaurant. In moeizaam Frans had ik haar uitgelegd waarom ik in Parijs was. Zij werkte ergens op een kantoor vertelde ze. Allons, gebaarde ze toen ze merkte dat het bedienend personeel met hun witte voorschoten tegen de bar geleund naar ons stond te kijken. Allons.

We gingen. Ze woonde vlakbij. Ze drukte het lichtknopje in de hal van het appartementengebouw in en liep op klikkende hakken opeens snel voor mij uit over de stenen gangvloer. 'Vite,' zei ze. 'Het blijft maar een minuut branden.' Dat is, op haar naam en haar beroep na, alles wat ze me die nacht vertelde, met een merkwaardig lichte, bijna meisjesachtige stem. Voor de rest maakte ze zachte tevreden grommende geluiden, diep achter in haar keel.

Het was een gebeurtenis die me overkwam, maar die ik ook wilde. Volkomen was het. Misschien omdat we voor elkaar geen geschiedenis hadden en die ook niet wilden krijgen. We bewogen in en over en uit elkaar. Pure lust was het. Puur en anoniem. Ten slotte draaide ze haar enorme rug met de afdrukken van mijn tanden in haar linker schouderblad naar mij toe en viel in slaap. Ik stond op, kleedde me aan en verdween uit haar leven. Buiten gloorde het ochtendlicht. Merels zongen. Pas toen de nachtportier van het Ambassador Hotel mijn naam noemde werd ik weer wie ik was.

Had Karl gehoord wat ik zei? Ook hij lag met zijn rug naar me toe. Hij zei niets terug. Ik stond op en vertrok.

De volgende dag verscheen hij niet op zijn werk. En ook de daaropvolgende dagen niet. Bähr reed persoonlijk naar zijn huis. De politie deed de rest.

Allemaal waren we op de begrafenis. Een mooie begraafplaats was het, vlak bij Shipman's Wreck, een heuvelachtig terrein met grote eiken. Bähr sprak. Hij had het over integriteit en dat wij hem zouden missen. Uit zijn toespraak viel niet op te maken dat Karl zijn polsen in bad had doorgesneden en daarna was verdronken, zoals de sectie uitwees.

Niemand sprak meer over hem. Ik dacht vaak aan die avond voor zijn dood terug. Met een beetje minder drank op waren we misschien vrienden geworden toen, had ik hem over zijn schaamte heen kunnen helpen, zijn schaamte dat hij leefde en anderen niet meer; misschien.

Nee, dat verhaal over pure lust moet hem ontgaan zijn. Hij sliep. Nu ik weer aan die avond terugdenk zie ik zijn rug in kalme slaap bewegen.

'Kom,' zegt Vera. 'Maarten, kom eens zitten.'

Voor haar op tafel ligt een opengeslagen fotoalbum. 'Dokter Eardly heeft het aanbevolen. Een methode om je herinneringen op orde te brengen,' zegt ze naast me zittend, een dikke zwartkartonnen bladzij met opgeplakte foto's omslaand terwijl ik zwijgend naar de gekartelde afbeeldingen staar.

Ik herken de windrimpeling op een vijver, bloeiende klaprozen in een wegberm, wolken boven zee met donkere rafelige stormranden, het kortgeschoren gras van een gazon waarop een gezelschap mensen staat in lichte, zomerse kleren, de armen om elkaars schouders geslagen. En lachend natuurlijk, altijd lachend, alsof het leven vroeger één feest was. Toen fotograferen nog iets bijzonders was en een afdruk relatief duur lachte iedereen die op de foto ging. Alsof de foto zo meer waard werd.

Vera legt haar wijsvinger op mannen- en vrouwengestaltes en noemt er namen bij. Kitty, Janet, John, Fred. Drie jaar geleden, in Rockport.

Ik zwijg.

'Je moet je beter concentreren,' zegt ze. 'Je weet het allemaal nog wel, maar je moet er wel je best voor doen.' Ze tikt even zachtjes met een glanzend gelakte nagel tegen mijn voorhoofd.

Ik trek het album naar me toe en blader terug. Dan is het alsof er een mist optrekt.

'Kijk,' zeg ik. 'Dit was de botenlift aan de Postjesweg. Anderen noemden het de overhaal, maar dat was het niet, het was een lift. Hier kwamen de punters en platschuiten van de tuinders uit de Sloterpolder samen om naar de markthallen te gaan. Eén voor één voeren de bootjes een soort stalen bak binnen. Dan begonnen die grote tandwielen daarboven te draaien en werd zo'n bootje schommelend en trillend aan dikke kabels de Kostverlorenkade ingetild. Soms lagen er wel veertig van die bootjes te wachten, schuin naast en achter elkaar, volgeladen met groente en fruit in van die platte planken kistjes.

En dit is een foto vanuit het raam thuis. Waar je al die kassen en houten huisjes ziet liggen, daar begon een andere wereld, een waterwereld vol punters, platschuiten, vlonders en witte kippebruggetjes over de sloten. En 's winters kon je daar eindeloos schaatsen. Friese doorlopers. Voel je ze nog knellen met die strakke bontgekleurde schaatsbanden en die stugge leren hiel?'

Ik kijk Vera aan. Ze knikt. 'Ik herinner me dat ook nog allemaal,' zegt ze. 'Ik ging vaak genoeg met je mee.' Ik ben zo blij dat ze dat zegt dat ik verder wil vertellen, los van de foto's.

'In het begin van de oorlog viel er nog wel eens wat bij de tuinders uit de polder te halen, maar de laatste twee jaar werden ze prijsbewust. Wat mensen daar niet allemaal aan erfstukken hebben achtergelaten voor een krop sla of een paar bossen peen.'

'Jij had het geluk van je werk,' zegt ze.

Dat is zo. Wie op een kantoor van de gemeentelijke inkoopcommissie werkte zat dichter bij het vuur. Je wist wanneer er aanvoer van het een en ander per schuit kwam. Dan viel er voor de verdeling nog wel eens wat te regelen. Het klopte natuurlijk niet, maar iedereen deed het. We waren eigenlijk allemaal kleine criminelen in die tijd en het gekke was dat iedereen dat best beviel. Het gaf je leven wat spanning en afwisseling.

'Denk jij nog wel eens aan die tijd?' zeg ik.

'Zelden,' zegt ze.

'Dingen uit de oorlog herinner ik mij het best van alles,' zeg ik. 'Ze zijn scherp, alsof alles toen stilstond, alsof er niets bewoog.'

'Ja,' zegt ze. 'Dat gevoel heb ik ook. Dagen waar geen eind aan kwam. Misschien kwam het ook door de honger. De honger en de kou.'

'Erwtensoep!' We zeggen het tegelijk, dat oer-Hollandse woord. Erwtensoep. En we moeten erbij lachen.

'Die erkers van de huizen daar deugden niet,' zeg ik. 'Na de oorlog hebben ze ze praktisch allemaal moeten vernieuwen. Ze sprongen te ver uit, ze vingen veel te veel wind, zeker bij die orkaan van toen.'

'Ik had geen benul dat het werkelijk zo gevaarlijk was.'

'Erwten,' zeg ik, 'een half sloop vol had ik weten te bemachtigen.'

'We waren de koning te rijk. Ik was zo zenuwachtig alsof het de eerste keer was dat ik kookte, zo bang was ik iets te verprutsen.'

'Fred was onder tafel gekropen, zo ging de wind tekeer. Alle kieren en tochtstrippen loeiden.'

'Dat was ons geluk, dat dat kind weggekropen was toen het gebeurde.'

'Ik zie je nog zitten,' zeg ik. 'Je haren alle kanten uit door de wind die plotseling naar binnen stormde en voor je dat bord soep vol met scherven.'

'Een wonder dat we zelf niks hadden,' zegt ze.

'Woedend was ik. Vooral omdat ik hier de moffen zo gauw de schuld niet van kon geven.'

'Later hebben we de soep nog gezeefd, maar we durfden het toch niet aan.'

'Jij stond op het punt,' zeg ik. 'Je stond in de keuken en zeefde de soep. Je goot de soep langzaam en voorzichtig in een trechter op een zeef die je op een pan had gelegd. Je begon te huilen toen ik zei dat je de soep weg moest gooien.'

'Zulke dingen vergeet je nooit meer.'

'Nee,' zeg ik. 'Zo iets blijft je altijd bij.'

Ze bladert verder in het album.

'Hier,' zegt ze. 'Kraantje Lek, weet je nog? Het toestel heeft bewogen omdat ik dacht dat Fred van die boomtak zou vallen.'

Ik knik. Ik zie mezelf staan, een jaar of vijfendertig. Ik draag een pullover met een donkere horizontale streep en een vormeloze grijze broek. Met een half weggevaagd gezicht kijk ik op naar een kind dat schrijlings op een ontschorste boomtak zit. Ik knik nog een keer. Ik wil het zo graag weten.

'Meestal nam jij de foto's,' zegt ze. 'Daarom sta jij er vaak niet op.'

'Een beste fotograaf was ik anders niet. En vaak vergat ik

ook het rolletje eruit te halen en weg te brengen.'

'Weet je nog dat we een keer de verkeerde foto's terugkregen? Toevallig kende ik die mensen. Ik kwam die vrouw wel eens bij de kruidenier tegen, bij De Gruyter, in die betegelde kraakheldere winkel waar het altijd zo lekker naar gebrande koffie rook die ze voor je maalden in een grote rode molen met een zilveren trechter erop.'

'Ik weet het,' zeg ik. 'Alleen weet ik niet meer wat er op die bewuste foto's stond.'

'Dat weet ik ook niet meer, alleen dat het niet onze vakantiefoto's waren. Wij waren op de Veluwe geweest. Kitty moest nog geboren worden.'

'En onze foto's, zijn die eigenlijk ooit nog terechtgekomen?'

'Nee. Ik heb die andere foto's teruggegeven aan die vrouw. De kruidenier wist waar ze woonde.

Deze zit verkeerd, die hoort veel verder terug. We waren net getrouwd, alles nieuw zie je wel. We waren zo trots op ons interieur. Voor die tijd was het heel modern, met die stalen buisstoelen en dat strakke eikehouten dressoir met zijn vuurrood gelakte deurtjes.'

'Pappa's bureau,' zeg ik op een andere foto wijzend. Ze knikt.

'En nu staat het hier,' zegt ze, 'helemaal aan de andere kant van de wereld. Ik wilde het verkopen, maar jij stond erop, het moest per se mee. Waarom eigenlijk?'

Ik kijk naar het bureau. 'Sommige meubels uit je jeugd blijven op de een of andere manier belangrijk voor je. Je voelt er een soort verbondenheid mee, waarom weet je niet precies. Ik herinner me wel dat ik er zondags aan mocht zitten tekenen. Een wit papier op een biljartgroen vloeiblad vol inktvlekken en streepjes van afgevloeide brieven van pappa. Als je lang keek zag je er van alles in, dieren, gezichten. Die tekende ik dan na.'

Ze bladert verder. Hier staan onderschriften bij, dat maakt het kijken een stuk veiliger.

'Winterswijk 1952,' lees ik hardop. 'Wat hebben die kinderen armoedige kleren aan.'

'Er was niet anders. Zo goedkoop waren ze trouwens niet. Fred had net een longontsteking achter de rug, vandaar dat hij zo smalletjes ziet. En Kitty werd na twee dagen ziek. Roodvonk. De halve vakantie heb ik in dat pension binnen gezeten. Jij ging veel wandelen. Eerst alleen en later met je moeder die een week overkwam.'

'Dat zal wel minder leuk geweest zijn.'

'Nee hoor. Het was de eerste keer dat ze mij echt accepteerde. Vanaf die dag heb ik altijd goed met haar op kunnen schieten. Kijk, hier staat ze in de tuin van het pension. God ja. "Het Keerpunt", zo heette het.'

Niet in paniek raken. Zij weet het tenslotte nog allemaal. Dit is dus mijn moeder. Als ik iets van vroeger wil weten kan ik altijd bij haar te rade gaan. 'Moeder,' zeg ik, en ik kijk naar de bebrilde vrouw die met brede handen op een wit tuinhekje steunt. 'Een betere moeder was er waarschijnlijk niet. Ze zorgde zo goed voor me dat ik me nauwelijks een moment herinner dat ik ruzie met haar had. Als ze kwaad op me was zweeg ze alleen maar. Dan ging ze aan tafel zitten met een kop thee voor zich en dan keek ze me zwijgend aan met haar bruine ogen terwijl ze met één hand krulletjes draaide in een losgeschoten streng van haar opgestoken haar. Dat vond ik veel erger dan ruzie, zoals ik die wel met pappa had. Dat beschuldigende stille zwijgen van haar, die vingers die gedachteloos met dat haar speelden. Onbereikbaar in haar stille verdriet zat ze daar aan tafel.'

'Ze wilde je alleen maar beschermen. Dat is alles. Ze heeft het me later wel eens verteld. Je was een onhandig kind, viel altijd overal vanaf. Je zat altijd onder de bulten en schrammen.'

Ik knik en kijk naar die al grijzende dame in de genopte zomerjapon met pofmouwen voor pension 'Het Keerpunt' Dan sla ik de bladzij om.

'Hé Parijs,' zeg ik en ik wijs op een kleurenfoto van een brede boulevard vol drukbezette terrasjes.

'Die heb je gemaakt toen je voor de IMCO in Parijs was. Daar aan de overkant was je hotel.'

Hotel Ambassador staat met logge witte krulletters op een muur onder een grijsstenen balkon geschilderd.

'Ach hotels,' zeg ik. 'Die lijken ontworpen om vergeten te worden.'

Gek zoals het verleden na een bepaalde bladzij – oktober 1956 – opeens vol kleur schiet. Maar ook die kleuren helpen mij niet. Misschien komt het door de foto's zelf. Een camera maakt geen onderscheid tussen belangrijk en onbelangrijk, voor- of achtergrond. En op zo'n toestel lijk ik op dit ogenblik zelf wel. Ik registreer, maar niets of niemand komt naderbij, springt naar voren; niemand raakt me met een gebaar, een verraste gelaatsexpressie vanuit het verleden aan en deze gebouwen, straten en pleinen bestaan in steden waar ik nooit ben geweest en nooit komen zal. En hoe dichter de foto's, blijkens de datering eronder, het heden naderen, des te ondoordringbaarder en raadselachtiger lijken ze wel te worden.

Vera wijst aan, Vera voorziet de foto's van commentaar. Ik knik. Maar ik zie hoe ze in mijn ogen kan lezen dat haar woorden niets verhelderen.

Buiten klinkt autogetoeter. Vera staat op. 'Dat moet Roberts van de hardware-store zijn.'

'Wat komt die doen?'

'Het slot van het washok is kapot. De deur kan niet meer dicht. Ik ga hem even wijzen waar hij moet zijn.'

Ik blijf voor het opengeslagen album zitten. Even later hoor ik het geluid van hamerslagen en daarna het geluid van een zaag die met korte halen snel en vakkundig door hout wordt getrokken.

Het is goed dat deuren die geforceerd zijn weer worden gerepareerd. Zelf heb ik twee linkerhanden maar Vera houdt het verval nauwlettend in het oog. Er kan nog geen stekker kapot zijn of ze komt al met een nieuwe aanzetten. Een paar weken geleden heeft ze boven de kinderkamers laten schilderen en behangen. Raar gezicht was dat, Kitty rechtop in haar ijzeren spijlenbedje dat midden in de kamer stond. Ze durfde niet zo ver van de muur af te gaan slapen, zei ze. Ik moest haar voorlezen. Sprookjes. Er was eens. En opeens weet ik het weer.

Snel blader ik in het album terug. Daar is de foto die Vera me straks liet zien. Kitty met Johan, haar man en mijn zoon Fred. Vera en ik waren veertig jaar getrouwd en daarom kwamen ze allebei over. Janet hier is de oudste van de Cheevers hier verderop. Ze is inmiddels verhuisd. Hun keeshondje Kiss staat er ook op. Die is dood. Overreden door een toerist. Toen Kitty en Fred weer teruggingen hadden Vera en ik het allebei even moeilijk. Allebei voelden we hetzelfde, al zeiden we het niet tegen elkaar. De kans bestaat dat we elkaar nooit meer zullen zien. Dat dachten we, dat zagen we aan elkaar. Maar we zwegen erover.

Als Vera binnenkomt wrijf ik in mijn handen en tik dan op de foto. Ik praat zo vlug dat ik over mijn woorden struikel. Met haar portemonnee in haar hand luistert ze naar me. Ik houd van haar gezicht wanneer het zorgeloos lacht en er overal rimpeltjes van plezier in trekken, vooral rond haar neusgaten en mondhoeken. Ik wil over onze trouwfoto's praten maar ik kan ze zo gauw niet vinden. Nu zou ik dat moment willen zien waarop we een beetje angstig en onzeker hand in hand voor die ambtenaar stonden, met achter onze rug talloze tantes die zich geen bruiloft in de familie lieten ontgaan, zeker niet als er gefluisterd werd dat de bruid zwanger was, en die in hun tassen naar zakdoekjes zochten toen Vera duidelijk, helder en klaar ja zei, wat je op die foto heel goed kunt zien. Haar halfopen mond met de spierwitte tanden, de tantes hier en daar een traan wegpinkend. Zelf was ik zo schor dat ik mijn keel twee keer moest schrapen voor ik de ambtenaar antwoord kon geven. En daarna het feest bij haar ouders in Alkmaar, haar joviale vader die ons naar een houten badhotel in Egmond bracht waar we ons splinternieuwe trouwboekje moesten laten zien, zo jong zagen we eruit en waren we ook, ik in een kostuum van de jongensafdeling van Nieuw Engeland.

Misschien zitten die foto's in een ander album. Een feestelijk gevoel komt over me. Ik heb opeens trek in bier.

Ik loop de keuken in en kijk in de ijskast. Misschien moet Vera nog boodschappen doen. Zal ik haar vragen een sixpack mee te nemen. Miller, dat vind ik hier het lekkerste bier. Heineken is lekkerder natuurlijk maar veel te duur. Dat drinken ze hier met een gezicht alsof ze champagne tot zich nemen. Dat groene etiket was een steeds terugkerend signaal uit Nederland als ik tussen de middag bij Cricks de lunch gebruikte. Altijd zag je het daar wel ergens op een tafeltje staan. Ik vraag Vera of ze bier in huis heeft gehaald.

'Waarom wil je opeens bier,' zegt ze. 'Dat zou ik trouwens eerst maar eens aan dokter Eardly vragen. Alcohol en medicijnen, dat gaat meestal niet samen.'

Ik begrijp niet precies waar ze het over heeft, maar ik wil de stemming nu niet bederven.

'De deur kan weer in het slot,' zegt ze en legt haar portemonnee op de piano.

Weer zo'n zin. Niet verder vragen maar. Ik knik. Ze kijkt op haar horloge.

'Ga maar even een uurtje liggen,' zegt ze. 'Dokter Eardly heeft gezegd...'

'...Wat heb ik toch met die dokter Eardly te maken?'

'Je hoeft niet echt te gaan slapen. Of ga wat piano spelen.'

Ze kijkt me een beetje angstig aan en haar stem trilt dwars door haar besliste toon heen.

Ik wil niet tegen de draad in zijn en daarom sta ik op en loop naar de piano. Ik pak haar portemonnee en doe hem open. Straks moet ze Greet betalen en heeft ze alleen maar Amerikaans geld. Maar wie heeft er een hekel aan dollars; niemand toch? Greetje houdt het met een proleetje zegt pappa altijd, die haar niet mag omdat ze naar parfum ruikt dat in de kraag van mijn overhemd trekt, waar ik stiekem na les in mijn kamer aan zit te snuffelen. Ik ben verliefd op Greet, maar dat mag ze onder geen beding weten. Dan zou ze me misschien geen les meer willen geven. Voor haar studeer ik. Mozart en Bach zelf kunnen me niet schelen. Wel dat ene uurtje in de week met Greet alleen, naast elkaar voor de piano, gehuld in een wolk van narcissegeur.

'Wat sta je daar toch bij die piano?'

Vera's stem. Ze pakt me bij mijn arm. Rusten moet ik zegt ze. Een uurtje maar. Ik hoef me niet uit te kleden. Gewoon op bed liggen.

Ik ga de slaapkamer binnen en grijns. Ik lach zachtjes in mezelf en begin als vanzelf te neuriën. Greetje houdt het met een proleetje.

Als ik wakker word is het zo donker dat ik zelfs de kerktoren achter de Sweelinckstraat niet kan zien. Rond de open klokketoren loopt een vierkante houten balustrade. Opa heeft me verteld hoe daar eens iemand af is gesprongen. In deze kamer droom ik daar vaak van. Of van vallende sterren die pappa me soms aan de avondhemel aanwijst. Vallende sterren die verbranden als ze in de dampkring van de aarde terechtkomen. Misschien leert opa me dammen vanavond. Dat heeft hij beloofd. Ik blijf stilletjes liggen tot hij me komt roepen. Achter in het huis hoor ik hem op zijn dwarsfluit spelen. Hij heeft ook een piano, maar de aanslag is zo zwaar dat ik mij steeds vergis als hij me vraagt hem iets voor te spelen. Hij speelt lang aangehouden noten die eindigen in een hoge triller. Dan moet het na vijven zijn. Opa speelt van vijf tot half zes. Dan neemt hij zijn borreltje en stipt om zes uur gaan we aan tafel.

'Hoe laat is het?' vraag ik aan Vera als ze de slaapkamer binnenkomt en het licht aanknipt.

'Kwart over vijf.'

Ik knik tevreden en ga op de rand van het bed zitten. Ze trekt mijn das recht. 'Dokter Eardly is er.'

Een beetje stram van het liggen loop ik in de richting van de openstaande kamerdeur, van fluitmuziek. Vivaldi zo te horen.

De man op de bank met zijn marineblauwe broek en wespgele sweater staat verrassend snel op als ik binnenkom. Vera zet de radio uit.

'Dag, mister Klein,' zegt hij. Veel goud in zijn mondhoeken. Ouder dan vijfenveertig kan hij niet zijn. Hoe of het gaat, informeert hij op de hartelijke quasi spontane toon waarop iedere Amerikaan de eerste de beste vreemde toespreekt. Ik knik maar eens en blijf midden in de kamer staan.

'Maarten, ga nou zitten,' zegt Vera, maar de man maakt een gebaar alsof het hem niet kan schelen. Dan ga ik zitten en meteen ploft hij naast me neer op de bank en grijpt mijn pols vast. Vera doet er niets aan. Ze zit naast ons op de tweezits, haar handen in haar schoot gevouwen naar ons te kijken, bang en nieuwsgierig tegelijk. De man ruikt doordringend naar aftershave.

'Zeker pas bij kapper Lorenzo geweest,' zeg ik.

'Hoe raadt u het zo,' zegt hij en hij wil dat ik mijn rechterknie strek. Hij tikt erop met een klein zilveren hamertje dat hij uit een leren tas heeft gehaald. Het onderbeen wipt omhoog.

'Prima,' zegt hij.

'Nogal logisch,' zeg ik, 'ik mankeer ook niks.'

De man kijkt even snel met een vragende blik in Vera's richting.

'Ik heb het er met hem over gehad,' zegt ze. 'We hebben samen foto's van vroeger bekeken.'

'Een goede en ook aangename therapie,' zegt de man en slaat zijn benen over elkaar. Nee, drinken wil hij niets. 'Ook geen Miller?' Vera kijkt opeens geschrokken maar als de man zijn hoofd schudt wordt haar gezicht weer gewoon rustig. Soms flitsen de gelaatsuitdrukkingen van mensen zo snel voorbij dat ik er niet aan toe kom ze een betekenis te geven. Maar misschien hebben ze die ook niet. Zijn ze net zo iets als de bewegende zonnevlekken tussen de bomen in een bos.

'En, hoe ging het?'

Hij denkt zeker dat ik gek ben. De toon die hier algemeen gebruikelijk is wanneer je iemand van boven de zestig aanspreekt. Vriendelijke neerbuigendheid vermengd met afkeer. Maar enfin, vooruit maar weer.

'Foto's zien is iets anders dan foto's kijken,' zeg ik. 'Iedereen kan foto's bekijken maar een foto zien betekent dat je hem kunt lezen. Aan de ene kant heb je mensen en hun culturele voortbrengselen, aan de andere kant de natuur. Bomen, meren, wolkenluchten spreken op foto's een algemene voor iedereen verstaanbare taal. Buiten de tijd om als het ware. Mensen, bouwwerken, wegen en koffiebussen daarentegen kunnen alleen in een bepaalde context, in de tijd, worden gelezen. U kunt dat fotoalbum op tafel voor het grootste deel niet lezen omdat u de noodzakelijke achtergrondinformatie mist. U was er niet bij. U kunt er zich met andere woorden niets bij voorstellen omdat u zich niet herinneren kunt wat eens echt te zien was. Het is uw verleden niet.'

Ik gloei van inspanning. Hij vindt het kennelijk zo interessant dat hij zijn agenda pakt en iets opschrijft. Als ik ophoud met praten om de gelegenheid te geven te notuleren, zegt hij: 'Praat u alstublieft door.'

Ook Vera lijkt mij de woorden uit de mond te kijken. Maar nu ik eenmaal gestopt ben gaat het niet meer.

'U moet de groeten hebben van Philip. Van Philip, de antiquair,' zegt de man terwijl hij een notitieboekje in zijn binnenzak steekt.

'O die. Die heb ik tijden niet meer gezien.'

'U was er anders pas nog. *Our Man in Havana* hebt u van hem gekocht. Een uitstekende Graham Greene. Ook verfilmd. Met wie ook alweer in de hoofdrol?'

Ik haal mijn schouders op. Dan fluistert Vera een naam. 'Alec Guinness.' Verdomd, ze heeft gelijk. Die vent lijkt eigenlijk wel op Alec Guinness. Het is te hopen dat hij het niet heeft gehoord want of dat nou zo'n compliment is. Zelfde hangwangen en brede oorranden. Het kost me moeite om niet te gaan giechelen.

'Kan best wezen,' pak ik de draad op. 'Ik hoef nergens meer heen dus je loopt maar wat. Het loopt allemaal geen vaart zo. Mis kan het niet. Ook niet best allemaal, maar enfin...'

Hij knikt en staat plotseling op. Hij geeft mij een droge koele hand. Zou hij piano spelen? Hij heeft er wel de handen voor. Als ik het wil vragen heeft hij zijn rug al naar me toegedraaid en loopt hij achter Vera de gang in.

Tot rust komen, binnenskamers houden, vertrouwde omgeving, doorgaan met de therapie, hoor ik een mannenstem zeggen. En Vera's bedeesde antwoordende stem: 'Soms is hij net een vreemde voor me. Dan kan ik hem niet bereiken. Het is een verschrikkelijk, een machteloos gevoel. Hij hoort me wel, maar ik geloof dat hij me op zulke momenten niet meer begrijpt. Dan gedraagt hij zich alsof hij alleen is.'

Ik snap precies wat ze bedoelt. Zonet liep het ook helemaal fout. Opeens moest ik alles eerst in het Engels vertalen voor ik het kon zeggen. Er kwamen alleen vormen van zinnen uit, brokstukken, de inhoud was er totaal uit weggezakt.

Woedend staar ik de voorkamer in. Alsof ik woorden verlies zoals een ander bloed. En dan opeens ben ik weer vreselijk bang. De aanwezigheid van alles! Ieder voorwerp lijkt me zwaarder en solider dan het hoort te zijn (misschien omdat ik er een fractie lang de naam niet meer van weet). Ik ga vlug op de bank liggen en sluit mijn ogen. Een soort zeeziekte in mijn denken lijkt het wel. Onder dit leven woelt een ander waar alle tijden, namen en plaatsen door elkaar heen spoelen en waarin ik als persoon al niet meer besta.

'Raar,' zeg ik tegen Vera als zij de kamer binnenkomt. 'Soms moet ik plotseling even gaan liggen. Dat had ik vroeger toch nooit.'

'Geeft toch niet. Je hebt de tijd aan jezelf.' Ze gaat zitten, pakt een boek.

'Je hebt de tijd aan jezelf.' Ik herhaal die zin omdat ik hem vreemd vind.

Ze bladert in het boek, ze leest niet. Aan haar blik zie ik dat ze me niet begrijpt.

'Eigenlijk zou het moeten zijn: je hebt de tijd *in* jezelf. Dat beschrijft de toestand beter.'

'Zo voel je je?'

'Steeds minder juist.'

'Hoe bedoel je?'

'Als een schip,' zeg ik, 'een schip, een zeilschip dat in een windstilte is terechtgekomen. En dan plotseling is er even weer wat wind, vaar ik weer. Dan heeft de wereld weer vat op me en kan ik weer meebewegen.'

'Ik kan het me zo moeilijk voorstellen, Maarten. Ik zie helemaal niets aan je. Het is alsof je ergens naar kijkt, naar iets dat ik niet kan zien. Ben je bang op die momenten? Wat gebeurt er precies met je?'

'Ik weet het niet. Ik herinner het me niet. Alleen dat gevoel van plotselinge zwaarte, alsof ik overal doorheen zak en niets om me aan vast te grijpen.'

'Dokter Eardly zegt dat het met rust wel weer goed komt.'

'Weet je wat ik wel eens denk, Vera? Waarom heb ik eigenlijk maar zo weinig herinneringen aan mijn jeugd. Ik geloof dat een gelukkige jeugd weinig herinneringen achterlaat. Geluk is een toestand, net als pijn. Als hij voorbij is, is hij voorbij. Spoorloos.'

'Maar andere dingen weet je nog heel goed. Over de schepenlift aan de Postjesweg wist je nog alles. Dat was ik nu helemaal vergeten tot jij erover begon.'

Ik knik. Een klein mechanisch wonder. Het was een machine, maar zijn wielen en kamraderen werkten zo langzaam dat het leek of het groentebootje door een magische kracht trillend en schommelend uit de diepte werd getild. Vaak zwaai ik vanaf de brug naar de tuinder die op de achterplecht zit en soms zwaait die dan wel terug met zijn pet of zijn muts.

'Naar wie zwaai je?'

Ik kijk naar mijn opgestoken rechterhand en laat hem dan snel weer zakken. De werkelijkheid komt mij te hulp in de vorm van een zwarte auto die achter Vera's Datsun voor het huis stopt.

'Dokter Eardly, dat moet dokter Eardly zijn,' zeg ik vlug.

Vera staat op, legt het boek dat ze in haar hand hield omgekeerd op haar stoel en loopt naar de deur. Ik kan de titel lezen. *Our Man in Havanna.* Komt me bekend voor. Waarschijnlijk heb ik het vroeger al eens gelezen, al heb ik geen flauw idee waar het over gaat.

'Hé William,' zeg ik als de oudste zoon van de Cheevers een kartonnen doos vol boodschappen achter Vera de keuken indraagt.

William knikt. Hij is groot, breed en verlegen in zijn gewatteerde blauwe sportjack en spijkerbroek. En natuurlijk op van die gestikte sportschoenen waar iedereen hier tegenwoordig zijn voeten op loopt te bederven. Een beste jongen maar je moet een beetje op hem inpraten anders komt hij niet vast... los!

Ik gebruik de begrippen soms verkeerd om merk ik, heel soms. Misschien heb ik een heel lichte beroerte gehad. Dat zou kunnen, in je slaap, je hoeft er op het moment zelf niets van te merken, heb ik wel eens gelezen. Maar zolang je je alles nog bewust bent is er niets aan de hand toch?

Ik loop naar de keuken en vraag William hoe het met Kiss, hun witte keeshondje, gaat. Die vraag valt geloof ik wat verkeerd. Even zwijgen Vera en William daar naast elkaar achter de keukentafel met het roodgenopte plastic zeil. Bedremmeld als twee kinderen. Dan zegt Vera tegen William: 'Maarten maakt soms wat lugubere grapjes. Let er maar niet te veel op.' William knikt opgelucht en nadrukkelijk. De acne heeft diepe putten in zijn wangen achtergelaten.

'Dan ga ik maar weer eens,' zegt hij.

'Wil je geen biertje?' vraag ik.

Vera zwaait achter Williams rug afwerend met haar handen. Waarom? Die jongen mag toch wel een biertje?

'Geen tijd,' zegt William.

'Nog bedankt,' zegt Vera.

'Geen moeite, mevrouw,' zegt William dan weer.

Mooi is dat spreken van mens tot mens, zo na elkaar, net kralen aan een ketting.

Ik ga aan de keukentafel zitten en kijk hoe Vera de boodschappen uitpakt en in de keukenkast opbergt. Suiker hier, thee een plank lager. Zo heeft ieder huishouden zijn eigen regels. Reden waarom je in de keuken van een ander vaak de weg niet kunt vinden.

'Soms,' zeg ik, 'wanneer je je vertrouwde merk niet meer

kunt krijgen en je een andere bus hebt gekocht, zie je die bus in het begin niet staan. De herinnering aan de vertrouwde bus maakt de andere bus onzichtbaar.'

'Ik begrijp niet waar je het over hebt.'

'Over koffie,' zeg ik. 'Over koffiebussen.'

Als ze klaar is met inruimen schuift ze de lege kartonnen doos met haar ene voet onder de keukentafel en vraagt of ik een kop soep lust, ossestaartsoep.

'Dat is goed,' zeg ik.

Ze geeft me de krant en ik schuif hem meteen weer van mij af. Het meeste is toch iedere dag hetzelfde.

In de pan soep roerend, zegt ze: 'Ga jij nu even op de bank de krant lezen. Ik houd er niet van in de keuken op mijn vingers te worden gekeken.'

Ik leg de krant over het boek op Vera's stoel en doe de gordijnen dicht. Dan zet ik de televisie aan. Ik luister en kijk naar de vlotte modieus gekapte vrouwen en mannen van het NBC-nieuws, druk gebarend achter hun desk. Ik begrijp alles wat ze zeggen. Ik kan alles volgen. Ja, het moet een kleine beroerte geweest zijn, een hele lichte. Ik vertel het Vera niet, ze zou zich maar zorgen maken.

Het eten is wel erg dun vanavond, maar ik heb toch weinig trek. Naast mijn bord ligt een groene capsule. Vera zegt dat ik hem in moet nemen. Het maakt je rustig zegt ze.

'Maar ik ben toch rustig?'

'Nog rustiger.'

Ik houd de pil tussen duim en wijsvinger en steek hem dan in mijn mond en neem een hap soep.

'Ossestaartsoep,' zeg ik, 'lekker.'

'Je lievelingssoep,' zegt ze.

Op de bank kijken we naar de televisie. Een documentair programma over de opkomst van Hitler. De bekende beelden van vlaggen en vaandels en mensenmassa's, hysterisch juichend voor het besnorde mannetje op het balkon.

Eenentwintig was ik toen. Ik was verloofd met Karen en niemand in mijn familie behalve oom Karel van de Twentsche Bank dacht dat er ooit oorlog zou komen. Zeker niet in Nederland. Karen. Zou ze nog leven? Ze was het eerste meisje dat ik naakt zag, in dat huisje van haar ouders in Spierdijk. In één beweging trok ze haar citroengele zomerjurk met gekruiste armen over haar hoofd. Geen bh droeg ze eronder. Ze ging op de rand van het bed zitten, wipte haar witte billen omhoog en stroopte haar nog wittere onderbroek over haar knieën. Ze schopte hem van haar voet af en stak haar armen naar mij uit. Spiernaakt grapte ik maar ik beefde als een riet, wist eigenlijk niet wat ik beginnen moest. Wat ik op dat moment wilde was voor haar knielen. Ik ben nooit religieus opgevoed, maar dat is wat ik wilde toen, knielen voor dat naakte meisje met haar blonde haar, waarvan een streng tussen haar kleine puntige borsten viel. Ze hielp me, maar zo gauw ik haar schaamhaar tegen mijn buik voelde kwam ik van pure opwinding klaar. Op haar ellebogen gesteund bekeek ze tevreden glimlachend het witte glinsterende plasje op haar buik. Geeft niet, zei ze, straks kun je wel langer. Later vertelde ze me dat ze een verhouding met een getrouwde man had gehad, een leraar op school. Ze heeft nooit begrepen hoe ik haar vereerde. Misschien was het ook mijn eigen schuld. Ik was erg verlegen. Pappa maakte er altijd grapjes over. Die jongen wordt later vast archeoloog, zei hij, hij kijkt alleen maar naar de grond.

'Hoe heet die vent met die hondekop en dat kleine brilletje ook al weer?' vraagt Vera.

'Himmler,' zeg ik. 'Wil je verder kijken?'

'Ach, die eeuwige oorlog, zet maar uit.'

Het beeld springt naar achteren tot een witte punt die nog even op mijn netvlies na blijft gloeien. Himmler, Hitler. Ook ik heb die oorlog meegemaakt. Iets wat mij nu ongeloofwaardig in de oren klinkt. Maar zelfs frontsoldaten hebben meestal maar een flauw idee van de veldslag waaraan ze hebben deelgenomen.

'Weet je wat ik me soms wel eens afvraag,' zeg ik. 'Of nieuwsgierige extraverte mensen meer herinneringen hebben later dan verlegen introverte mensen.'

'Dat lijkt me er weinig mee te maken hebben,' zegt Vera.

'Ik was vroeger zo verlegen dat mijn vader me de archeoloog noemde. Ik keek altijd naar de grond.'

'Toen ik je leerde kennen was daar anders weinig van te merken.'

'Ik heb geleerd het spel mee te spelen,' zeg ik. 'Maar in wezen ben ik nog altijd een verlegen mens.'

Ze kijkt me aan met haar smaragdgroene ogen boven de geplooide ronde huidzakjes. Ik voel me als een baby die opkijkt naar het gezicht van zijn moeder. Mijn lach komt tenminste net zo – vanzelf –, zonder een andere reden dan de herkenning van het vertrouwde gezicht. Ik kus haar voorzichtig op haar wang, maar mijn lippen glijden af naar haar oor. Er springen tranen in mijn ogen.

'Hou op, je kriebelt me.'

'Het liefste zou ik voor je knielen,' fluister ik.

'Als je dat maar uit je hoofd laat,' zegt ze en ze trekt even zachtjes aan mijn haar. 'Kom idioot,' zegt ze, 'we gaan naar bed.'

Terwijl zij zich in de slaapkamer uitkleedt doe ik de staande lampen in de kamer uit. In de deuropening blijf ik staan en kijk even naar de meubels. Ze hebben mij niets te zeggen. Zo is het goed. Morgen zullen ze er nog net zo staan. En de dag erop. Zo is het goed. Ik draai de lichtschakelaar om.

'We gaan zo een wandeling maken, Robert,' zeg ik. 'Even mijn koffie opdrinken.'

'Maarten, je mag niet naar buiten van de dokter. Hier.'

Vera schuift een bord yoghurt met cornflakes voor mijn neus.

'Sinds wanneer bepaalt een dokter waar ik ga of sta? Ik ben toch niet ziek? Ik voel me niet ziek tenminste.'

'Je bent een beetje in de war. Je zou kunnen verdwalen.'

'Verdwalen?'

'Ja, omdat je de weg soms vergeet.'

'Met Robert erbij zeker. Die kent feilloos de weg naar huis, al zou je hem midden in Boston neerzetten.'

'Je bent Robert laatst al eens een keer kwijtgeraakt onderweg.'

Ik zwijg.

'Eet nu je yoghurt maar.'

Ze verzint kennelijk verhalen om me te testen. Als ik ze zou bevestigen zou ik verloren zijn. Dan zou ik in haar verzinsels verdwalen. Misschien heeft die dokter van haar dat wel tegen haar gezegd. Kijken of hij werkelijkheid en verbeelding nog uit elkaar kan houden. Een test. Beter om nu maar geen antwoord te geven. Nergens op ingaan. Ik moet het gewone leven vasthouden. Dat dat nog eens mijn ideaal zou worden, de gewone dagelijkse gang van zaken. Op de momenten waarop dat niet meer gaat moet ik die gang van zaken imiteren. En als ook dat niet meer mocht gaan, dan pas zal ik het leven zelf moeten verzinnen (maar niet zij).

Ja, ik verlang naar de wellust van het dagelijkse, de gang van ding naar ding. Het is noodzakelijk je leven te vullen. Maar ik heb altijd de taal nog. Dat herinner ik me nog heel goed, de eerste keer dat ik tegen mijn moeder loog. De verbazing dat mijn woorden geloofd werden, ook als ze iets vertelden dat niet echt was gebeurd. Dat dat verschil niet hoorbaar was. Vijf was ik, zes misschien. Ik kwam te laat thuis en vertelde dat de brug 'heel lang' was open gebleven, 'omdat twee schepen tegen elkaar gebotst waren' (terwijl ik bij een vriendje was blijven spelen). Ja, die leugen was een enorme ontdekking. Mijn vader en moeder knikten. Dat er naast de zichtbare en controleerbare werkelijkheid nog vele andere bestonden, kennelijk niet van de echte te onderscheiden.

Desnoods – als het werkelijk moet – zal ik van minuut tot minuut een leven voor mijzelf verzinnen en erin geloven, zoals vader en moeder toen in dat verhaal over de tegen elkaar gebotste schepen, waarvan er een 'bijna was gezonken'.

'Waar blijven de kinderen?' zeg ik. 'Het is laat genoeg.'

Vera geeft geen antwoord. Ze staat op.

'Of is de schoolbus al voorbij?' vraag ik.

'Ja, Maarten,' zegt ze. 'Je lag nog te slapen toen de bus voorbij kwam.'

'Heb ik zo lang geslapen?'

'Het komt van de medicijnen. Dokter Eardly heeft gezegd dat je er diep op zou slapen en dat klopt. Ik heb je wakker moeten maken.'

'Hoe laat is het dan?'

'Twaalf uur geweest.'

Ze loopt de keuken uit. Robert wandelt achter haar aan.

'Ik kom eraan, Robert.'

Ik ben altijd wat stijf 's morgens, maar dat wandel ik er zo weer uit.

Zou ik zo aangekomen zijn de laatste tijd, mijn jas zit me zo krap. En waarom zit de deur op slot? Ik ruk een paar keer aan de knop. Misschien klemt hij of zit hij vastgevroren.

'Robert, kom!'

Ik wacht op de hond en kijk naar de kapstok. Haastig trek ik Vera's wijnrode mantel uit en herstel de vergissing voor ze me uit het washok komend kan betrappen.

'Heb je Robert gezien?'

'Die is buiten.'

'Dan ga ik ook maar eens.'

Ze gaat met haar rug tegen de voordeur staan.

'Je mag niet naar buiten van de dokter.'

'Ik ben toch niet ziek. Ik mankeer niks. Robert,' roep ik, 'Robert, kom!'

'Hij komt uit zichzelf wel weer terug.'

'Mag ik dan nooit meer naar buiten?'

'Nu niet.'

'Maar ik wil gaan vissen. Ik heb met Gerard en Klaas af-gesproken,' lieg ik tegen haar. 'Toe.'

'Kom mee naar de keuken. Je hebt je bord niet leeggege-ten.'

'Op school zeggen ze dat te veel melkprodukten slecht voor je gebit zijn.' (Maar wat kun je doen? Als ik maar eerst het huis uit ben, op mezelf, kan ik doen en laten wat ik wil.)

Ik ga achter mijn bord pap zitten en kauw demonstratief. Nu zegt ze natuurlijk zo direct: zit niet zo met lange tanden te eten.

'Is pappa al naar kantoor?'

'Maarten, ik ben het, Vera!'

'Je moet niet zo tegen me schreeuwen.'

Ze verbergt haar gezicht in haar handen. Waarom is ze nu opeens zo opgewonden? Waarom huilt ze zo hartverscheu-rend?

'Je moet niet huilen. Ik wil niet dat je huilt.'

'Vera,' snikt ze, 'ik ben Vera!'

'Natuurlijk ben je Vera,' zeg ik. 'Dacht je dan dat ik dat niet wist?'

Opeens staat ze op. 'Ik ga even bij Ellen Robbins langs,' zegt ze. 'Ik ben zo weer terug. Doe jij ondertussen de puzzel.'

Vreemd dat ze niet gezegd heeft dat ze wegging. Misschien is ze boodschappen doen. Ik houd er wel van om alleen thuis te zijn, om stiekem in pappa's bureau te snuffelen. Zondags mag ik eraan zitten tekenen. Een wit papier op een biljart-groen vloeiblad vol inktvlekken en streepjes van afgevloeide brieven van pappa. Als je lang kijkt zie je er van alles in; dieren, gezichten.

De deur van het bureaukastje waarachter drie diepe laden vol papieren schuilgaan zit op slot, maar ik heb de sleutel in mijn zak. Ik trek de middelste la open en tast met mijn ene hand tussen zijn papieren. Ik houd een brief in mijn hand, een stuk van een brief, want er staat geen aanhef boven, hij begint zomaar ergens middenin.

' 's Middags was ik vrij en ben ik in het Quartier Latin we-zen wandelen. Het was aangenaam weer, je kon echt slente-ren langs de galerijtjes en tweedehands boekwinkels. Mijn vingers jeukten, maar mijn Frans is te slecht om boeken in die taal te kunnen lezen. Wel kocht ik een paar antieke an-sichten van Parijs die ik hierbij sluit. Nog twee dagen, dan ben ik weer bij jullie terug. Ondanks alle verlokkingen van de "ville lumière" mis ik jullie ieder uur van de dag (en vooral jou) bij het zien van al dit fraais. Gekust, je Maarten.'

Ik trek de la uit het bureau en keer hem om, maar hoe ik ook zoek en graai tussen de paperassen, de rest van de brief komt niet te voorschijn. Wel stapels papieren van imco-vergade-ringen, toen de club nog in Bonn zat. Dat herinner ik me nog, die vijf jaar in Bonn, van 1962 tot 1967 om precies te zijn. Maar Parijs?

Ik ga aan het bureau zitten en lees het brieffragment nog eens over. Zonder twijfel mijn handschrift.

'Je bent in Parijs geweest,' zeg ik hardop, maar die zin helpt me niet, ik had hem net zo goed kunnen verzinnen; nu. Als ik het me niet kan herinneren, zeggen die woorden ook niets. Ik vouw de brief in vieren en schuif hem in de binnenzak van mijn jasje. Buiten blaft een hond.

'Robert,' zeg ik en sta op vanachter mijn bureau en loop naar het raam.

Robert springt blaffend over de sneeuw om het huis met mij meelopend, maar alle deuren zitten op slot. Ze hebben me opgesloten en alleen gelaten.

Ik sta in de achterkamer en kijk naar Robert die zenuwachtig om een esdoorn heen loopt, er tegenop springt, zodat er sneeuw van de takken op zijn rug valt. Daar schrikt hij zo van dat hij pijlsnel op mij afstormt en tegen de ruit omhoog springt om met krassende nagels over het glas weer op de grond te glijden. Hij kijkt mij met zijn donkere vochtige ogen vol droefenis aan.

Er zit niets anders op. Anders gaat hij straks nog dood van de kou. Ik trek een stoel onder de tafel vandaan, pak met twee handen de rugleuning vast en stoot hem met de poten vooruit door het glas dat rinkelend naar buiten valt. Nog een paar keer stoten en het gat is groot genoeg voor Robert om naar binnen te springen. Ik strijk hem even door zijn vochtige vacht. Hij snuffelt wat aan een hoop papieren naast mijn bureau en gaat dan voor de verwarming liggen alsof er niets aan de hand is.

Een beetje koud heb ik het. Een kop hete thee zou mij goed doen. Ik loop de keuken in en draai het gas aan. De ketel, waar is de ketel. 'Ketel,' zeg ik, 'ketel,' maar het ding is nergens, ook niet in een van de keukenkastjes. Misschien binnen. Vera gebruikt hem wel eens om de planten water te geven. Ook niet. Ik doe de deur van de provisiekast open, maar hoe ik ook zoek achter borden en glazen, nergens kan ik een Kwatta-reepje vinden. En er liggen ook geen peredrups of zuurballen. Misschien is ze boodschappen doen. Ik ga achter de piano zitten en druk eerst het oefenpedaal in voor ik begin te spelen. Opa ligt boven zijn middagdutje te doen dus ik moet heel stilletjes spelen. De toetsen gaan zwaar en stroef. Of zijn het mijn koude vingers die niet willen? Dan hoor ik de voordeur opengaan. 'Ik ben hier oma,' roep ik haar vanachter de piano tegemoet.

Luid snuivend loopt Vera in een wijnrode jas met grote zwartbenen knopen snel langs mij heen de keuken in. Dan komt ze weer binnen en holt naar een kapot raam. Ze kijkt van de scherven naar mij. 'Jezus,' hoor ik haar mompelen. Dan gaat ze naar de telefoon. Ik ga op de bank zitten en vouw mijn handen. Angst welt op in mijn maag en dan naar mijn mond. Ik slik een paar keer en hoor haar met iemand praten over een kapotte ruit. Ze zegt niet dat ik het heb gedaan en dat waardeer ik in haar (al kan ik mezelf niet herinneren hoe die ruit dan kapot is gegaan). Hoe moet je je schuldig voelen als je je niets van een voorval herinnert? Alleen maar de gevolgen ziet zonder de oorzaak te kennen? Dat moet je weigeren. Anders is het eind zoek en kan iedereen je altijd van alles de schuld geven. En toch voel ik me schuldig.

Als ze klaar is met telefoneren graait ze bukkend papieren die op de grond naast het bureau liggen bij elkaar. Ik kan haar daar best even bij helpen. Ik sta op.

'Doe eerst je jas eens uit,' zeg ik.

'Het is hier ijskoud.'

Daar heeft ze gelijk in. Ik loop naar de hal en neem mijn jas van de kapstok.

'Waar ga je heen?' zegt ze met een heel angstige en gilscherpe stem als ik met mijn jas over mijn arm binnenkom. Kalm trek ik hem aan.

'Nergens,' zeg ik. 'Ik heb het koud, dat is alles.'

Ze schuift de la in het bureau terug en gaat op de bureaustoel zitten.

'Maarten, wat heeft dit allemaal te betekenen?'

Dat is het hem nu juist. De betekenis, de oorzaak waarzonder de gevolgen zinloos worden, onverklaarbaar. In verwarring en misschien ook om tijd te winnen tast ik in mijn binnenzak. Ik vouw het vel papier open. Dan weet ik het weer.

'Het ergste vind ik dat van Parijs,' zeg ik terwijl ik als vanzelf rond begin te lopen. 'Ik dacht dat het een brief van pappa was, maar mijn naam stond er opeens onder. En toen pas zag ik dat het ook mijn handschrift was. Toen pas. Kijk maar.'

Ik houd het velletje tussen duim en wijsvinger omhoog. 'Ik weet niet meer hoe ik precies geleefd heb, Vera,' fluister ik met mijn jas aan midden in de kamer, het velletje papier als een bewijsstuk in mijn hand omhoog houdend (net een scène uit een slecht toneelstuk, even belachelijk).

'Trek het je maar niet aan hoor,' zeg ik daarom. 'Straks weet ik het wel weer.'

'Het was in 1963,' zegt ze.

'Toen we in Bonn zaten,' zeg ik.

'Zie je wel dat je het nog weet.'

'Bonn wel, maar Parijs niet.'

'Straks zal ik je er foto's van laten zien. Het was een IMCO-congres. Iets met Europese samenwerking.'

'Tegenwerking zullen ze bedoelen. Eten en drinken en elkaar in de wielen rijden.'

'Dat zei je toen ook al.'

'En ik denk er nog net zo over,' zeg ik beslist. 'Als de heren dat maar weten. Er komt iemand aan. William, zie je wel. Waar is Kiss? Hij heeft Kiss niet bij zich.'

'Maarten, onthoud nu eens en voorgoed: Kiss is dood. Al lang. Dus begin alsjeblieft niet weer tegen William over die hond. Ik ben al dolblij dat hij ons met dat kapotte raam wil helpen.'

'William is een beste jongen. Een beetje stilletjes, maar als je hem een pilsje of twee geeft komt hij wel los.'

'We hebben geen pils.'

'Dan zet ik thee. Dat is waar ook. Heb jij de ketel ergens gezien?'

'Ik zet zelf wel thee straks.'

'Ik kon de ketel niet vinden.'

'Die staat waar hij altijd staat, op de aanrecht voor het raam.'

Terwijl Vera opendoet loop ik naar de keuken. Daar staat de ketel. Zeker overheen gekeken straks. Het ruikt hier trouwens naar gas. Ik controleer de emaille knoppen van het fornuis maar ze staan alle vier op nul. Misschien zit er ergens een lek in de leiding. Dat is gevaarlijk. Daar moet een monteur bijgeroepen. Ik loop de kamer in.

'Hé William,' zeg ik. William zit gehurkt voor een kapotte ruit en trekt voorzichtig een grote puntige glasscherf uit een sponning.

'Gezellig dat je even langskomt. Heb je Kiss niet meegenomen?'

William reageert niet. Zoals gewoonlijk. Straks gooien we er een paar pilsjes in en dan komen de verhalen los. Dat zul je zien.

'Aardig van William dat hij ons met die kapotte ruit wil helpen, vind je niet, Maarten?'

'Heel geschikt van je, William,' zeg ik en ik wrijf in mijn handen.

Vera loopt naar de keuken en komt met een stoffer en blik terug. William veegt voorzichtig de stukken glas op het blik. Sommige scherven zijn te groot, die kunnen er niet op. Ik wil hem met het karweitje helpen, maar hij zegt dat dat te gevaarlijk is. De grote stukken draagt hij voorzichtig tussen duim en wijsvinger naar buiten en legt ze in het besneeuwde perk, op de plek waar zomers een hoge slordige bos wilde

margrieten bloeit. Nu loopt Vera de gang in. (Wat een be-
drijvigheid op dit uur van de dag. Leuk om te zien.)

'Maarten, waar ligt de hamer?' roept ze vanuit de gang.

'Waar hij altijd ligt. In de gereedschapskist.'

'Daar ligt hij niet.'

'Vrouwen en gereedschap.' Hoofdschuddend loop ik naar
het washok. Op de plank, helemaal links.

Hé, dat is gek. Wie zou die hamer daar hebben wegge-
haald? Voor de zekerheid kijk ik in de wasmachine maar
daar ligt hij niet. (Natuurlijk ligt hij daar niet!)

'Ik begrijp er niets van,' zeg ik.

'Wat vervelend nou,' zegt Vera. 'Nu kan William die oude
deur die nog in de schuur staat er niet voor spijkeren.'

Maar William zegt dat hij dan wel een andere oplossing
zoekt. Hij loopt naar de schuur in de tuin en komt met een
oude verveloze deur en een Engelse sleutel terug. Spijkers
heeft hij zelf bij zich, in een goudkleurig doosje met een bol
dekseltje dat hij uit de zak van zijn jack haalt. Een mooi
doosje. Maar William heeft geen oog voor mooie dingen. Hij
zegt tenminste niets terug als ik een waarderende opmerking
over het doosje maak.

Het is altijd vervelend wanneer iemand je geen antwoord
geeft of net doet alsof hij je niet verstaat. Dat gebeurt op
vergaderingen ook wel eens. De woorden blijven in de lucht
hangen, zoals dat heet, en de betrokkene doet zijn uiterste
best zijn verlegenheid en irritatie te verbergen door zich met
een scherpe wending in zijn betoog tot iemand te richten die
op dat moment toevallig zijn richting uitkijkt.

'Als je dat tenminste met die verpakkingen van tegenwoordig vergelijkt,' ga ik daarom tegen Vera verder. 'Allemaal plastic en cellofaan. Ze zouden het geld dat ze aan de
reclame uitgeven beter kunnen besteden aan het maken van
mooie verpakkingen.'

Nu geeft William antwoord. Hij zit op zijn hurken met

zijn rug naar me toe, maar hij heeft dus wel degelijk geluisterd.

'Verpakking is verpakking,' zegt hij. 'Die gooi je toch weg.'

'Behalve zo'n doosje dan,' zeg ik. 'Je ziet zelf dat je het nu voor iets anders gebruikt.'

'Dat doet pa,' zegt William en hamert weer verder met zijn Engelse sleutel.

Ik tast in mijn broekzak en loop dan naar het bureau. Snel het deurtje op slot doen, voor hij thuiskomt en merkt dat ik in zijn spullen heb zitten rommelen. Wat zou hij dan woedend zijn! Zelfs mama komt nooit in die laden. Ziezo, dat heeft lekker niemand gemerkt.

Als William klaar is bied ik hem een pilsje aan. Hij schudt zijn brede hoofd met het korte stugge haar een paar keer heen en weer en grijnst. 'Alleen op zaterdag meneer Klein.'

'Ik snap het,' zeg ik. 'En zeg voortaan maar gewoon Maarten hoor. Waarom heb je Kiss trouwens niet meegenomen. Het is zo'n aardig beest.'

William trekt zijn wenkbrauwen boven zijn fletsblauwe, wat hulpeloze ogen op. Hij kijkt in Vera's richting alsof die het antwoord zou kunnen geven op mijn vraag. En dat geeft ze ook.

'Je weet hoe Kiss en Robert samen zijn.'

'Die verscheuren elkaar,' roept William.

Waarom schreeuwt hij zo en waarom trekt hij opeens zo'n opgelucht, bijna kluchtig smoel? Soms lijken de gelaatsuitdrukkingen en wat de mensen daarbij zeggen niet helemaal bij elkaar te horen, zoals in de cartoons in de zondagskrant, waar de kleuren soms over de lijntjes van de tekening heen lopen.

William veegt zijn rechterhand aan zijn spijkerbroek af voor hij mij en Vera een hand geeft en een glimmend koperen doosje dat ik best graag zou willen hebben in zijn zak laat glijden. Leuk dat hij eens langs kwam. Het is een aardige, vriendelijke jongen. Een beetje stilletjes, maar na een pilsje wil hij nog wel eens loskomen. Vera loopt met hem mee naar de gang. Ze zegt dat ik mijn jas moet uittrekken. Wat doe ik met mijn jas aan binnenshuis?

Opa had een heleboel goudkleurige blikken sigarendoosjes in zijn schuur achter in de tuin. Daar bewaarde hij spijkers en schroeven in. Er waren medailles op afgedrukt met de beeldenaren van koningen. In kleine rondlopende zwarte letters stond onder iedere medaille de naam van een buitenlandse stad en een jaartal. In de schuur rook het naar olie. *Kruipolie*, dat is het woord dat hij vaak gebruikte. *Kruipolie* ruist het door mijn hoofd, *kruipolie*, steeds maar weer, *kruipolie*, voor in mijn mond, zodat ik moet slikken om het niet tegen Vera te zeggen, *kruipolie*, die met het dienblad met rinkelende theekopjes binnenkomt en ik vragen: waar blijven de kinderen, het is al na vieren en op de klok wijzen en naar de haargrens op haar voorhoofd staren en de kleine pigmentvlekjes vlak eronder en voelen, haar hand, die de mijne vastpakt, alsof ze me wakker wil schudden en nog steeds dat woord als een opflikkerende neonreclame tussen de andere woorden in en al weet ik nu niet meer welk woord, het is een woord, ik kan het geluid nog horen, de omtrekken nog zien, ik kan zelfs de letters tellen, een woord van negen letters dat ik niet kan zeggen, met wijdopen mond, terwijl zij me aankijkt met die geduldige liefdevolle bezorgde blik, alsof ik ergens niet meer aan voldoe; een oud paard dat ze maar op stal laten staan en vraagt dan of ik niet wil puzzelen.

Resoluut het hoofd schudden!

'Geen vreemde woorden meer! Ik wil denken, in korte heldere zinnen.'

'Waaraan?'

'Ik wil denken, in korte heldere zinnen.'

'Aan vroeger?'

'Vroeger?'

Ze pakt opnieuw mijn hand.

'Je thee wordt koud.'

'Ik wacht op de kinderen.'

'Welke kinderen?'

Ik vind dit geen gespreksniveau. Zo gauw ik iets vertel schijnt ze me een val in te willen praten. Om je heen kijken. Interieur. Op de achtergrond dwarrelen nieuwe sneeuwvlokken door elkaar. Ik knik.

'Mijn kijkdoos. Met watten aan draadjes in plaats van sneeuw en kabouters erin die ik uit een sprookjesboek had geknipt en een tijger uit mijn dierentuindoos. Van lood, op een voetje, met geelzwarte strepen. Een tijger in de sneeuw en van boven een rood doorschijnend stukje cellofaan geplakt zodat de sneeuw in brand leek te staan. Voor twee centen, tot de jongens kwamen, de grote, en de schoenendoos uit mijn handen rukten en tegen de rand van een vuilnisbak platsloegen.'

'Je moet niet huilen. Het is al zo lang geleden, Maarten.'

Hard wrijf ik met de rug van mijn linkerhand mijn wangen droog. Waar komen die tranen vandaan?

'Soms gaan de gedachten zo razendsnel dat ik ze bijna niet meer kan denken, ze spoelen door mij heen en dan moet ik huilen. En dan opeens staat alles weer stil, verstard als op een toverlantarenplaatje en lijkt niets ooit meer van zijn plaats te kunnen komen en moet je weer gaan lopen om je omgeving op gang te krijgen. Zomaar lopen omdat je anders niet meer kunt voelen dat je ergens thuishoort, dat er tijd verstrijkt.'

'Kon ik je maar helpen. Ik zou je zo graag willen helpen. Maarten, waarom kan ons leven niet zo blijven als het was. Waarom moet dit gebeuren?'

'Mijn thee is koud.'

'Je bent hem vergeten op te drinken. Zal ik nieuwe zetten?'

'De kinderen komen nu toch niet meer. Het is al veel te laat.'

Robert staat op en rekt zich met gestrekte voorpoten naast de centrale verwarming uit en komt dan langzaam op mij af. Honden hebben zonder dat ze dat weten een ingebouwde klok. Ze voelen precies wanneer ze moeten worden uitgelaten. Ik aai hem even over zijn rug, tegen de haren van zijn gladde vacht in.

'Je hebt gelijk, Robert, het wordt tijd voor onze dagelijkse wandeling.'

'Dat heb je al gedaan, Maarten.'

Vera's gezicht ziet rood en haar lippen staan dun en strak onder haar scherpe neus, de neus van een oude vrouw plotseling, met een klein wit bloedeloos topje.

'Heus, je bent het vergeten, maar je hebt hem al uitgelaten.'

Ik kijk aarzelend naar de hond, maar het lijkt alsof Vera dit keer gelijk heeft want Robert vlijt zich weer naast de centrale verwarming op zijn oude plaatsje. Dat moet dus wel kloppen. Dieren kunnen niet liegen.

'Ik ben vergeetachtig hè?'

'Ik houd van je zoals je bent,' zegt ze. 'Het geeft niet.'

Dan sta ik op omdat ik plotseling, heel plotseling, plassen moet. Hete steken in mijn onderlijf. Waar komen die zo plotseling vandaan? Wat schuilt daar binnen in mijn lichaam toch dat het op mij gemunt heeft?

Ik geeuw, zo luid, mijn mond zo wijd open, dat het knapt in mijn oren. Probeer een beetje ordentelijk te pissen hier. Thuis kun je kletteren wat je wilt, ongegeneerd, desnoods met de deur open.

Ik ga de kamer binnen, doe de schuif op de deur en steek

het licht aan. Eerst altijd even met je kleren aan het bed proberen.

Ik lig op mijn rug en kijk om me heen. Dit is een kamer met een zogenaamde persoonlijke noot in het interieur. Houd ik eigenlijk niet van. Net alsof er vlak voor je aankomst nog iemand in gewoond heeft die haastig zijn spullen bij elkaar heeft gegrist. Heeft trouwens het een en ander vergeten zie ik. Tandenborstel, scheercrème. Ik zal het straks even verzamelen en mee naar de balie nemen. Nee, geef mij maar Holiday Inn of Hilton-hotels. De deur achter je dicht en meteen het gevoel: niemand weet meer waar ik ben, niemand weet dat ik besta. Een baldadig gevoel van vrijheid, ontsnapping. Dat je in principe, vanaf nu, vanuit deze anonieme, nietszeggende kamer een *totaal andere kant* op zou kunnen. Niet dat je het doet, maar dat gevoel is op zich al genoeg om eens vergenoegd in je handen te wrijven en jezelf voldaan in de spiegel te bekijken.

Ik kleed me uit, gooi mijn kleren, zoals altijd wanneer ik in een hotel logeer, op de grond en kruip in bed. Het licht laat ik branden. Dat doe ik altijd. Mocht er brand komen dan gaat het om seconden. Je moet zorgen dat je meteen bij de nooduitgang bent voor er paniek uitbreekt en iedereen elkaar vertrapt.

Er wordt geklopt. Misschien een dringende boodschap, een telegram. 'Just a minute!'

Ik sta op, sjor mijn broek aan en doe de deur van het slot.

'Hé, ben jij het,' zeg ik tegen Vera. 'Er is toch niets met de kinderen?'

'Kleed je aan, vlug,' zegt ze. 'De dokter is er.'

Angst klopt in mijn keel. Natuurlijk is er weer iets met Fred. Hoe vaak heb ik niet met die jongen bij de eerste hulp van een of ander ziekenhuis gezeten.

Mijn das krijg ik van de zenuwen niet gestrikt. Dan maar zonder. En voor schoenveters hebben we nu ook geen tijd.

Ik knipper tegen al dat licht om me heen. Op de tweezits-bank zit een man, vrij jong nog. Dat moet dan zeker de dokter zijn. Ik loop op hem toe en struikel half zodat hij haastig overeind komend mij nog net voor een val kan behoeden. Beschaamd staar ik naar de los over mijn schoenen heen hangende veters.

'Neemt u mij niet kwalijk. Ik was nogal gehaast. Er is toch niets ernstig met Fred?'

De glimlach op het gezicht van de dokter stelt mij gerust.

'Er is helemaal niets aan de hand, meneer Klein. Ik kom zomaar eens langs om een praatje te maken.'

'Heeft u daar dan als dokter tijd voor?'

'Tegenwoordig wel. De mensen in Gloucester zijn niet zoveel ziek.'

Gloucester? Gloucester, juist ja. Zakelijke aanpak, Maarten. Die man wil iets van je. Ze beginnen altijd vriendelijk, iets te amicaal. Dat verraadt hen meteen. Dat duidt altijd op achterliggende bedoelingen. Dan is de methode Simic geboden. Simic heeft het me na het werk een keer uitgelegd. We zaten in de cocktaillounge waar Karl na zijn werk altijd heen ging voor hij de ondergrondse naar huis nam. Een chique, wat duistere tent verdeeld in met donkerpaars fluweel beklede boxen met van die kelkvormige melkglaslampjes uit de jaren twintig op de tafeltjes. Simic, Karl Simic. Een Joegoslavische naam geloof ik. Spreek uit: Simmitsj. Daar ging hij iedere dag een paar whisky's drinken. Ja, hij kon hem soms flink raken, die Karl.

'Heb je dorst,' vraagt Vera. 'Je zit zo met je lippen te smakken.'

'Whisky on the rocks.'

Er zit een man in de kamer met een boerse vierkante kop, met hangwangen, grote oorlellen en kortgeknipt stug blond haar. Hij is er. Hij lacht. Hij weet niets van de methode Simic. Hij heeft een fotoalbum op zijn schoot waar hij in bladert. Hij bekijkt één foto nauwkeurig en reikt me dan het opengeslagen album aan.

Uitgerekend een trouwfoto. Ben ik totaal niet voor in de stemming. Maar Simic zou zeggen: stelregel een: herhaal met beleefde glimlach de woorden van je gesprekspartner terwijl je ter ondersteuning vriendelijk met het hoofd knikt. Tijdwinst is vooral aan het begin van een gesprek alles.

'Is dat een foto van uw trouwen?' vraagt de man.

'Is dat een foto van uw trouwen?'

Kijk schuin omhoog, tussen hen door en geef knikjes met het hoofd. Dan zeg ik vlug achter elkaar zes keer ja. Dat is Simics tweede regel: beleefdheid tot rituele hoogten opgevoerd. Zelfs als je het nergens mee eens bent, begin met alles te bevestigen, maar ontneem door veelvuldige herhaling meteen weer het bevestigende karakter aan wat je zegt.

'Jajajajajaja.'

Ik leg het album, pats, op de bank terug. Moet opstaan, rondlopen en begin alvast met mijn handen te betogen in afwachting van de woorden die ik voel komen.

'Laten wij het probleem eerst in zijn algemeenheid aanpakken. Mensen die voor elkaar bestemd zijn, niet, hand in hand, hij in het zwart, zij in het wit. Maar hebt u die omstanders zien staan, die groepjes daar op het gazon? Allemaal potentiële kandidaten voor dit huwelijk! Met andere woorden: een mens maakt zich wijs dat hij een leven *leidt*, een zinvol bestaan. Er is weinig op die gedachte tegen, al moet ik wel zeggen: zij berust nergens op, illusies zijn het, drijfzand. Ziet men het wat meer afstandelijk, universeler, dan komt men tot de conclusie dat wij deeltjes zijn, vrouwelijke en mannelijke deeltjes die rondzwerven in de maatschappij en soms toevallig samenkomen en versmelten en dan van een huwelijk gaan spreken, terwijl alle andere mogelijkheden op de achtergrond blijven meespelen. Het erotische achtergrondkoor meneer...'

'Dokter, dokter Eardly.'

'Kijk Eardly, de temperatuur begint op te lopen. Twee graden en nog wat. Voor je het weet zit alles in de knop, kwetteren overal de vogels weer. De hele gigantische paarmachinerie komt weer op gang. Zonder visitekaartjes, naambordjes of adressystemen.'

Ik blijf voor het opengeslagen album staan. 'Sommigen zijn dood. Anderen leven nog. Je kunt het berekenen, maar zien kun je het niet.'

'Hoe was uw trouwdag? Weet u nog hoe uw vrouw er die dag uitzag?'

'Mag ik weten wat deze impertinente vraag te betekenen heeft?' zeg ik en zonder omhaal loop ik de kamer uit. De laatste zet in de methode Simic. Een vriendelijke trage opening, een gematigd middenspel en dan een eindspel dat snel en agressief de buit binnenhaalt. Je gaat gewoon op je gemak even pissen en betreedt dan opnieuw het strijdperk waar je je tegenstander in opperste verwarring hebt achtergelaten.

Een beetje ernaast, het loopt over de vloer. Jezus, dat kan niet, maar ik kan het niet meer tegenhouden nu. Robert komt me helpen, die likt het op. Aan een hond heb je altijd een trouwe kameraad. Hij kijkt me naast de paraplubak even aan met zijn gelige ogen.

'Kom, we gaan een wandelingetje maken, Robert.'

Dan legt iemand van achteren een arm om mijn schouders en duwt me voor zich uit de kamer in, in de richting van een piano (wil misschien dat ik iets voor hem speel? of moet ik studeren?). Ik ga zitten en begin aan Mozarts adagio, maar hij staat naast me met een injectiespuit. Achter mijn rug hoor ik iemand huilen, een vrouw.

'Dat kennen we uit de oorlog,' sis ik en sla de spuit uit zijn hand. De man bukt zich om de spuit op te rapen en ik maak van de gelegenheid gebruik om snel tegenover Vera aan tafel te gaan zitten.

'Je moet niet huilen,' zeg ik. 'Ik heb de situatie hier volledig onder controle.'

Ik zie hoe de man zijn spuit in een slapleren zwarte dokterstas laat glijden.

'Ik ben geen held,' zeg ik, 'maar iemand verraden, dat nooit. De nazi's verliezen de oorlog, dat staat voor mij als een paal boven water. Het grootste deel van het land is al bevrijd. De koningin is al in Eindhoven schijnt het. We moeten volhouden, al hebben we nog zo'n honger.'

De man houdt met twee handen een slappe leren tas voor zijn buik. Net een dokterstas. Hij luistert maar ik zie dat hij mij niet begrijpt. Hij kijkt me bijna verlegen aan.

'Het is oorlog. De mensen doen de raarste dingen. Op den duur vind je niks gek meer. Maar wel onder ons, het mag niet de straat op, ze lopen nog steeds rond, de muren hebben oren. U kunt hier voor de nacht wel blijven. U bent tenslotte nog in vijandelijk gebied. Buiten is het gevaarlijk. Zal ik u de logeerkamer boven wijzen?

Graag of niet hoor. Hier vlakbij wonen een paar NSB'ers, dus het is al gevaarlijk genoeg.'

Nog steeds reageert die Amerikaan niet.

'Wat zit je daar toch, Vera! Maak eens iets te eten voor die man. Hij heeft misschien wel in geen dagen iets gegeten.'

'Nick,' zegt ze tegen de man met een verstikt en smekend stemgeluid. Hij knikt kort in haar richting en doet een zwarte leren tas open en haalt er een injectiespuit uit. Hij verdwijnt ermee in de keuken. Ik hoor een kraan lopen.

'Hebben we nog iets te eten? Of is alles op?' vraag ik.

'Je moet je mouw opstropen,' zegt Vera en maakt een polsknoopje van mijn overhemd los.

'Ik wist niet dat ik er zo slecht aan toe was,' zeg ik.

De man komt de kamer binnen en voordat ik het weet zit de naald in mijn arm.

'Vloeibaar voedsel,' mompel ik. 'Ik was er hard aan toe. Ik

voel het al. Mijn maag loopt vol. Heb dank, dank u alle twee
heel hartelijk.'

Wassen... wassen... wassen... Er staat een vrouw achter me,
kan haar in de spiegel zien. Een chocoladebruine blouse met
bladgroene Franse lelies bedrukt, een zwarte rok. Haar gezicht past heel slecht bij de rest van haar verschijning, vind
ik, lijkt er los van te staan. Ze houdt een beige badhanddoek
in haar uitgestrekte trillende handen. Wassen... wassen...
wassen... wassen.

'Zo is het wel genoeg, Maarten.'

Draai je om en neem de handdoek van Vera aan. Wrijven.
lekker die ruwe badstof tegen je blote schouders. Wrijven.
En dan ben ik de handdoek kwijt. Zij houdt hem in haar handen.

'Geef hier!'

'Je moet je nu gaan aankleden, Maarten.'

'Slaap heb ik niet. Wat dat betreft klopt het, heb je gelijk
in wat je zegt.' (Wat een omslachtige formulering.)

Huid die weer dik en ongevoelig aan het worden is. Voel
het overhemd niet meer (net alsof ik niet echt ben aangekleed).

Achter me in de deuropening staat een vrouw. Haar bruine haar valt met een lok schuin naar rechts over haar voorhoofd. Merkwaardig gladde wangen in een verder oud gezicht dat zich steeds verder lijkt te verwijderen en pas weer
dichterbij komt als ik even van de spiegel naar de muur ernaast heb gekeken. Ze houdt me in de gaten. (Zou ze mij zijn
toegewezen? Door wie?) Das, waar is mijn das?

Een das strikken moet je nooit voor een spiegel doen. Van
die omgekeerde beweging word je duizelig. Die brengt je
vingers in de war. Ogen dicht dus en op de tast verder strikken, op je herinnering je vingers de juiste beweging laten
uitvoeren. Voel opeens vreemde smalle vingers in mijn nek.

Ze peuteren aan de opstaande boord van mijn overhemd. (Kan het heus zelf wel.)

'Kan het zelf wel, moeder.'

'Noem mij geen moeder.'

'Hoe kom je erbij, Vera.'

Ik draai mij om, de klank Vera nog in mijn oren. Het kuiltje onder haar hals is diep en ingevallen, bijna zwart. Wat ziet ze er bijzonder uit vandaag.

'Waar gaan we heen? We hoeven toch niet naar een verjaardag? We zijn pappa's verjaardag toch niet vergeten, zoals verleden jaar? De stem door de telefoon. Ik kon wel door de grond zakken van schaamte.'

'Kom nu maar mee.'

'Waar gaan we heen, Vera? Gaan we uit? Je ziet er zo mooi uit. Is er iemand jarig vandaag? Als ik het vergeten ben moet je het wel zeggen hoor.'

Ah, een kamer. Buiten ligt overal sneeuw. Ik houd niet van de winter, bal mijn vuist ertegen. Deed ik vroeger als jongetje tegen de bliksem. Dan kroop ik onder de huiskamertafel en balde ik mijn rechtervuist tegen het 'hemelse geweld' zoals pappa het voor het raam staand noemde. Tussen de oranje franjes van het tafelkleed keek ik angstig naar de bliksemschichten en zijn donkere gestalte, bij iedere lichtflits scherp uitgesneden tegen de zwarte vlek van het raam. Bang was ik, bang en verlangend om getroffen te worden.

'Kom zitten.'

'Krijg ik geen kus? Ik moet zo weg.'

'Je hoeft niet weg. Je hebt vrij.'

'Heeft de IMCO dan gebeld? Heeft Leon Bähr gebeld?'

'Hij heeft gebeld dat je thuis kon blijven ja.'

'Zeker geen vergadering meer deze week. Dan haal ik even wat hout uit de schuur.'

'William Cheever heeft al hout in het washok gelegd. Genoeg voor de hele week.'

'Aardige jongen is dat toch. Was Kiss hier ook? Ik heb hem niet gezien.

'Nee, die had hij thuisgelaten. Blijf nu hier zitten, dan haal ik de koffie.'

Natuurlijk, dat was die geur die ik al de hele tijd ruik. Die hoort bij koffie. (Sta eens op! Loop eens naar het raam!)

Twee graden boven nul. We gaan de goede kant op. In de sneeuw vallen al zwarte dooigaten. Nog even en je hoort de hele dag het druppelen van smeltwater, alsof er rond het huis allemaal kraantjes openstaan. Maar je kunt er geen peil op trekken. Het ene jaar is het andere niet. Als je de grafieken van pappa erbij haalt kun je dat zo zien. Geen sprake van enige wet of regelmaat. Of misschien zijn die er wel maar kunnen wij ze niet overzien. Een mens is te klein voor dit leven. Wat ruikt het hier toch heerlijk. Het is of ik door die geur onverhoeds de dag ben binnengevallen. Of liever: alsof die geur mij daartoe uitnodigt met zijn scherpe prikkelende boodschap.

'Daar hebben we de mevrouw van de koffie. Dan kunnen we nu plaats nemen en volop genieten van het mooiste moment van de dag. Veel suiker alstublieft.'

'Maarten, één schep is genoeg.'

'Meer. Meer. Vooruit, een mens leeft maar eens.' (Om de waarheid te zeggen, ik doe het meer om het roeren, een handeling die ik gerust, hoe moet ik het noemen, er ontstaat een draaikolk in de koffie als je hard roert, je staart en staart in die draaiende zwarte holte in het kopje, die tegelijk beweegt en stilstaat.)

'Maarten, kijk nu eens wat je doet!'

'Ik roer me de beroerte.'

Leuk dat humor weer even binnenschiet. (Daar komt 'in de lach schieten' natuurlijk vandaan.) Ach, een beetje mor-

sen op je oude dag. Mag. Nu ligt de suiker weer op de bodem. Langzaam de suiker op het lepeltje naar boven hijsen.
Kan het zorgvuldiger? Eens waren het mooie afzonderlijke
wit glinsterende korrels en kijk nu eens, wat een drab! Net de
bruingereden sneeuw op de Field Road. Alles wordt smerig.
Je moet zorgen dat je zelf brandschoon blijft.

'Zit niet zo met je koffie te knoeien of ik haal hem weg.'

Knikken. Jajaja. 'Volkomen gelijk en voor akkoord getekend.'

'Lieve Maarten, luister nu eens.'

'Lieve Maarten, luister nu eens.' Methode Simic. Spreek
uit Simmitsj. Altijd raak. Kijk hoe ze even uit haar evenwicht
raakt. Nee, die Joegoslaven zijn zo stom nog niet. Arme ke-
rel. Ik moet een paar keer slikken om de tranen tegen te houden, pak de tafelrand vast en knipper met mijn ogen. Wat
een rafels zitten er aan dit tafelkleed. Straks komen Ellen en
Jack Robbins en dan zitten we hier met zo'n vod op tafel. Ik
pak ze vast en dan schiet het me nog net op tijd te binnen.
Soms kan ik net niet bij een bepaald woord komen; ligt het
achter een ander woord dat iets soortgelijks betekent ver-
scholen. En een verkeerd woord brengt je op verkeerde gedachten, laat je de verkeerde dingen doen; woorden werken
als wissels. Dit hier heet niet 'rafels' maar 'franje'. Expres eraan gebreid dus. (Hoort bij het kleed zelf, maakt daar deel
van uit, stomme lul.)

Even voelen of die koffie nog te drinken is. Zo is het ook
wel lekker, zo zoet. Je had van die koekjes die ook zo zoet
waren, lang waren ze en besuikerd. Lange vingers!

Zeg, je moet iets tegen die vrouw daar verderop zeggen.
Ze zit daar zo treurig achter haar kop koffie, alsof ze helemaal alleen in een snackbar zit. Zoals je dat in Boston veel
ziet. Helemaal alleen tussen al die net afgenomen vochtig
glanzende formica tafels en stoelen onder een kale tl-buis
achter een lauwe kop slappe koffie. En dat moet de dag dan
nog beginnen!

97

'Herinnert u zich nog wat lange vingers waren?'

Ze reageert vreemd. Tenminste dat vind ik. Misschien wil ze niet aangesproken worden. Ze staat op en zet ergens in het vertrek een radio aan. Zolang dat Duitse gebalk maar achterwege blijft is het mij best. We wonen hier gelukkig zo afgelegen dat we onze radio niet hebben hoeven te verstoppen. De buren zijn hier te vertrouwen.

Muziek. Ken ik niet. Een knappe pianist, dat hoor je wel. Daar moet ik nog heel wat jaartjes voor studeren. Als je al die witte en zwarte toetsen zo naast elkaar ziet liggen en je luistert en je weet dat die muziek daar ergens verborgen tussen al die toetsen zit. Alleen omdat je niet hard genoeg gestudeerd hebt blijven al die mogelijkheden jou onthouden. Maar dat is nog niet alles. Ook alle muziek die er nog gemaakt gaat worden laat zich daar raden. En je kijkt naar die witte en zwarte toetsen alsof ze ieder ogenblik in beweging kunnen komen.

'Heb je mijn lesboekje ergens gezien?'

Ze is zeker net de kamer uitgelopen. Het moet toch ergens hier op de piano liggen. Als ik deze week niet studeer krijg ik ruzie met Greet en dat wil ik niet. Ik vind haar het mooiste meisje dat ik ken. Als ik durfde zou ik mijn hoofd heel voorzichtig in haar schoot leggen, mijn ogen dichtdoen en heel stil blijven liggen, voelen hoe ze ademt, hoe ze leeft, bloot, daar onder die citroengele jurk van haar.

'Hier is je boek. Daar vroeg je toch om?'

'Ik geloof dat ik dit boek al eens gelezen heb. Of heb ik alleen de film naar het boek gezien. Enfin... Doet er niet toe. Ik herinner me die film trouwens ook niet meer, als ik die al gezien heb.'

Ik pak het boek aan. Begin te lezen. Er stijgt een echo uit de zinnen op. Alsof ik deze bladzij al een keer eerder, als beeld onder ogen heb gehad, in een flits. Hoe noemen ze dat gevoel ook al weer, ik heb er eens een artikel over gelezen.

Déjà-vu. Een kortsluiting tussen hersenneuronen. Het beeld wordt een fractie eerder geregistreerd dan de bewustwording van dat beeld en zo denk je iets te herkennen dat je zeker weet nooit eerder gezien te kunnen hebben.

'Er komt straks iemand op bezoek.'

Een zin uit het niets op mij afgevuurd. Een plotselinge wending in het gesprek die onmiddellijk ongedaan moet worden gemaakt.

'*Our Man in Havana*,' zeg ik. 'Ik heb dat boek geloof ik al eens gelezen. Of verwar ik het boek nu met de film?'

'Maarten, er komt een vrouw op bezoek die op je zal passen. Als ik zo nu en dan even weg moet. Boodschappen doen of zo.'

'Sinds wanneer wordt er op mij gepast? Ik ben toch zeker geen kind meer?'

'Je wordt zo vergeetachtig, Maarten. Je vergeet wat je doet. Het kan gevaarlijk zijn, jij helemaal alleen hier in huis.'

Ik kijk haar vluchtig aan. Ze meent wat ze zegt, ik zie angst in haar licht toegeknepen ogen. Gevaarlijk in huis, echoot het in mijn hoofd. Dat bevestigt mijn gevoel dat er inderdaad soms iets niet in orde is met dit huis. Alsof er tussentijds verschuivingen worden aangebracht in de indeling, zoals op kantoor waar de wanden verplaatsbaar zijn.

'Ze zorgt voor je medicijnen, dat je op tijd rust neemt.'

'Ik laat me niet naar bed sturen. Ik ben kerngezond. Ik kan nog van alles aan. Ik zal even hout voor je uit de schuur halen.'

'Dat ligt al in het washok. William heeft het van de week binnengebracht. Genoeg voor een hele week.'

'Aardige jongen. Je moet er alleen zo nu en dan een pilsje ingooien. Zwijgzaam, net als de meeste vissers hier. Op zee leer je niet praten, zei er laatst een in de Tavern tegen me. Je hebt het te druk, zei hij. En als je eenmaal een uurtje vrij hebt is er altijd die zee om je heen die je nooit uit het oog mag verliezen. Zal ik Robert even uitlaten?'

'Straks,' zegt ze. 'Als het bezoek er is.'

'Wat zeg je dat geheimzinnig. Wie kunnen het anders zijn dan Ellen en Jack Robbins. Of William Cheever? Of komen de kinderen? Dat zou tijd worden.'

'Die hebben hun eigen leven. Maar Kitty heeft laatst gebeld en gezegd dat ze binnenkort voor een tijdje over zou komen.'

'Kun je die radio dan wegbergen? Het klinkt misschien gek maar in deze tijd kun je zelfs je eigen kinderen niet vertrouwen. Voor je het weet praten ze op school hun mond voorbij en word je erbij gelapt.'

'Het is al lang geen oorlog meer, Maarten. We leven in een vrij land, in Amerika.'

'Je hoeft mij niet te vertellen waar ik woon. Ik woon in Gloucester, Massachusetts. Laatst was ik in de Tavern en een visser zegt tegen me: op zee leer je niet praten. Wat knik je nou? Daar was jij toch niet bij?'

'Laat maar.'

'Ah, daar is Robert. Zullen we even gaan wandelen, Robert?'

'Straks, Maarten, straks. Je moet nu even binnen blijven. We krijgen zo bezoek.'

'Bezoek op dit uur van de dag. Of is het al avond?'

'Wacht nu maar af.'

'Wie komt er dan?'

Ze geeft geen antwoord.

Als het Karen maar niet is. Ik zou niet weten wat ik tegen haar moet zeggen. Ze zou vijfenzestig zijn nu, een belachelijke gedachte. Misschien is ze al dood. Dat ik hier helemaal op mijn eentje aan iemand zit te denken die niet meer bestaat. Dat kun je niet weten. Ik weet het nog zo goed, hoe ik voor haar stond, naakt en trillend als een espeblad.

'Maarten.'

'Dag espeblaadje. Ik moet nu heus gaan. Ik kom anders
veel te laat op de vergadering.'
'Je hebt vrij.'
'Hebben ze gebeld dan. Heeft Bähr gebeld?'
'Ja... Hij heeft gebeld.'
'Waarom zeg je dat nu pas?'
'Je begint er zelf nu pas over. Je bent vrij, Maarten. Ga
nu maar even lekker op de bank liggen.'
'Jajajajajaja.' Het wapen van de beleefdheid, verborgen
en dodelijk. Ik lig, maar in gedachten sta ik. Ik geef het niet
op, nee. Bij God, ik blijf doorvechten tegen die golven, die
branding in mijn hoofd, dat ik langzaam heen en weer
schud op het kussen dat iemand eronder schuift en begin te
zingen, vanzelf begin ik te zingen, zacht en binnensmonds,
zodat mamma en pappa in de huiskamer het niet horen, zing
ik liedjes waar de woorden langzaam uit wegzakken, voel ze
wegzakken uit mijn log heen en weer draaiende hoofd.

Ik hoor vrouwenstemmen uit de keuken komen. Ze spreken
in het Engels. De stem van Vera en een stem die ik niet ken,
een zachte jonge vrouwenstem. Ik versta eerst alleen wat de
onbekende stem zegt, fraai modulerend. Geduld en de juiste
medicijnen, zoveel mogelijk in dezelfde omgeving houden.
Dan hoor ik Vera.
'Ruim veertig jaar ben ik met hem getrouwd. En dan opeens dit. Meestal gaat zo iets langzamer, geleidelijk. Maar
bij hem is het opeens begonnen. Ik voel me erdoor over-
vallen. Het is wreed en onrechtvaardig. Ik kan soms zo
woedend en opstandig worden als ik zie hoe hij naar me
kijkt als uit een andere wereld. En dan weer ben ik alleen
maar droevig en wil ik hem zo graag begrijpen. Of ik praat
maar met hem mee en dan schaam ik me later. Ik ben blij
dat jij er bent want het wordt me soms echt te veel. Dan kan
ik het echt niet meer aanzien. Nu kan ik er tenminste soms
even uitlopen.'

Even is het stil. Ik voel de tranen langs mijn oogleden op mijn wangen lopen.

'En soms, soms straalt zijn gezicht volmaakte rust uit. Alsof hij gelukkig is. Zoals een kind dat kan zijn. Die momenten duren zo kort dat ik soms denk dat ik ze mij verbeeld. Maar ik weet maar al te goed wat ik dan zie: iemand die sprekend op mijn man van vroeger lijkt. Als je jong bent zoals jij valt dat moeilijk te begrijpen. Maar mensen zoals wij leven van hun herinneringen. Als die er niet meer zijn, is er niets meer. Ik ben bang dat hij zijn hele leven aan het vergeten is. En alleen met die herinneringen leven terwijl hij ernaast zit... leeg.'

Ik duw mijn handpalmen tegen mijn oorschelpen. Ik wil het niet horen, maar ik weet dat het waar is wat er gezegd wordt. Ik word van binnenuit opgesplitst. Het is een proces dat ik niet tegen kan houden omdat ik zelf dat proces ben. Je denkt 'ik', 'mijn lichaam', 'mijn geest', maar dat zijn maar woorden. Vroeger beschermden die me. Toen ik dit nog niet had. Maar er is een grotere kracht die het nu in mij voor het zeggen heeft en die niet valt tegen te spreken. Ik wil er niet meer aan denken. Laat ik maar wat gaan werken. Werk geeft afleiding. Ik moet nog wat rapporten voor morgen doorkijken. De tekst van rapporten stelt me gerust, juist door de onverbiddelijke rust en kalmte waarmee een ongrijpbare onder water gelegen werkelijkheid wordt beschreven in cijfers en getallen. Alsof die wereld stilstond, alsof hij gemeten kon worden.

De zon schijnt op de houtnerven van het bureaublad. Geen idee waar ik die rapporten gelegd heb. Misschien zitten ze nog in mijn tas. Ik buk me, maar mijn aktentas staat niet zoals het hoort onder het bureau. Misschien heeft Vera hem ergens anders neergezet toen ze de kamer deed.

Ik sta op en loop naar de keuken. Ik blijf in de deuropening staan. Mijn benen trillen. Een witte wollen coltrui waarover lang blond haar valt. Ik wuif naar Vera. Ik leg mijn wijsvinger op mijn lippen. Dan draait ze zich om en gelukkig kan ik nog net 'dag juffrouw' over mijn lippen krijgen want hoe zou het ook gekund hebben dat het Karen was, idioot die ik ben, waar komen zulke gedachten toch vandaan.

Ze staat op. Verrassend groot is ze, met brede praktische handen. Geen ringen. Een beetje plomp in de heupen, waar haar jeans in strakke plooien trekken.

'Phil Taylor.'

Ze spreekt gejaagd, alsof ik haar zenuwachtig maak. Ze wil een tijdje bij ons logeren begrijp ik. Ik knik vriendelijk.

'Kitty en Fred zijn er niet,' zeg ik, 'dus je hebt de hele bovenverdieping tot je beschikking.'

'Kitty en Fred?'

'Mijn kinderen.'

Vera wijst naar een kartonnen doos met boodschappen op de aanrecht.

'Phil heeft alvast boodschappen gedaan. Je krijgt rosbief vanavond. Je lievelingsvlees.'

Phil heet ze dus. Mooi lang blond haar. Een hoog wat bollend voorhoofd. Nu schiet me te binnen waarvoor ik de keuken inkwam.

'Heb je mijn tas ergens gezien?'

'Niet onder het bureau?'

'Daar staat hij niet.'

'Ik zal zo voor je zoeken.'

'Wat zoeken?'

'Je tas!'

Ik draai mij abrupt om en loop in een ruk naar de voorkamer en ga aan tafel zitten met mijn hoofd in mijn handen. Iets denkt in mij en houdt dan halverwege weer op. Begint er totaal iets anders dat ook weer stokt. Als een auto die telkens afslaat.

Ik sta op en begin te lopen. Soort choken zou je dit lopen kunnen noemen. Proberen de boel weer op gang te brengen. Robert staat lui en langzaam op, drentelt onhandig langs mijn benen schurend met mij mee. Geen wonder dat een hond eruit wil met dit mooie weer. Ik blijf staan met mijn knieën tegen de ribben van de radiator gedrukt.

In die kale takken zit de lente verborgen. Vogels die van heinde en verre straks over zee hier weer naar toe trekken. Achter Vera's blauwe Datsun staat een grasgroen gespoten Chevrolet met een ingedeukt linker plaat...ijzer...deuk... blik...ding...stoot...spat...ijzer...bord.

'Godverdomme!' Met twee vuisten beuk ik tegen het raam.

'Mister Klein!'

Ik draai mij om, trek mijn wenkbrauwen op. Wie is dat? Hoe is dit meisje hier binnengekomen?

'Kitty is er niet hoor. Of kwam je soms voor Fred. Ben je soms een vriendin van mijn zoon?'

'Wat denkt u ervan als wij samen de hond eens uit gingen laten?'

'En Vera dan?' (Wat klinkt mijn stem paniekerig opeens.)

'Ze heeft een beetje last van haar rug.'

Waarom ben ik altijd zo verlegen? 'Ik weet niet eens hoe je heet,' zeg ik. 'Is het trouwens niet een beetje ongebruikelijk, zo'n oude bok als ik op stap met zo'n knap jong meisje? Ben je een schoolvriendin van Kitty?'

'Ik heet Phil Taylor,' zegt ze. 'Ik kom een tijdje bij u en uw vrouw inwonen.'

'O. Daar wist ik niets van. Maar wat mij betreft, akkoord hoor. Dat vind ik eigenlijk best gezellig.'

'Zullen we dan maar?'

Ze loopt naar de hal en trekt een blauw gestikt windjack aan. Dan helpt ze mij in mijn jas. Die weet hoe het hoort. Ik zie haar gezicht van opzij. Een beetje dikke neus, dat is jam-

mer. En ook haar wenkbrauwen zijn wat aan de zware kant.
Resolute kin. Meestal heeft iemand dan ook een mooie hals,
maar door haar hoog gesloten windjack kan ik die nu niet
zien.

Het meisje loopt naar de voordeur. Ze draait de sloten
open. 'Waar gaan we heen?' zeg ik.

'Een eindje wandelen met Robert. Zegt u het maar.'

Robert staat kwispelend naast mij op de geveegde veranda. Achter ons sluit een jong meisje de deur. Voorzichtig
stap ik de treden van het verandatrappetje af, stamp wat
met mijn zwarte schoenen op het ondergesneeuwde grind.
Ik zie de scherpe prenten van een eekhoorn. Zijn staart heeft
er bij iedere sprong een uitroepteken achter geplaatst. Dan
geeft het meisje me een arm. Ze doet het zo vanzelfsprekend
alsof ze mijn dochter is.

'Het is hier en daar glad,' zegt ze. 'Waar gaan we heen?'

'Naar de stenen man.'

'De stenen man?'

'Volg mij maar.'

Ze heeft de capuchon van haar jack opgezet. Onder de
capuchon zit haar blonde haar verborgen. Je kunt hier de zee
al aardig ruiken. Meeuwen blijven op gepaste hoogte wanneer ze Robert voor ons uit zien draven. Ik ben benieuwd
waar we heen gaan. Het heeft iets van een avontuur. Aan
deze kant is de kust rotsig en hier en daar steil. De paadjes
naar het strand zijn smal maar dit blonde meisje houdt mij
stevig vast.

'Vera is een schat van een vrouw,' zegt ze opeens plomp-
verloren tussen de kale dennen.

'O, je kent haar? Ja, zij betekent alles voor me. Alles. Dat
is het enige waar je als je ouder wordt wel eens over inzit.
Dat zij eerder zal gaan dan ik. Ik denk niet dat ik zo'n winter als deze alleen zou overleven. Tegen wie zou ik moeten
praten? We hebben alles samen meegemaakt, samen gedaan.

Ik stond een keer in het gras, het was volop zomer, ik herinner me dat er overal om mij heen vogels zongen, en door het keukenraam zag ik haar voor de aanrecht staan. Ze sneed een brood. Ik zag dat. Plak voor plak. Een bruin brood was het. Dat was alles. Zulke dingen bedoel ik. Een ander ziet niets dan een huis, maar alles bevindt zich daar; alle gebaren, alle geuren, alle woorden van mijn leven. Maar nu is het mis. Iedere dag verdwijnt er wel iets, iedere dag wel iets. Overal lekt het.'

'Kom, u vergeet wel eens wat, maar voor de rest bent u toch kerngezond?'

'Wie zal het zeggen. Laten we dit onderwerp maar liever laten voor wat het is.'

Robert rent over de natglanzende rotsblokken waarachter het zeewater aan komt kolken en in geulen tussen de slordig gestapelde steenbrokken uitloopt. Hier en daar heeft zich in een rotsholte een stilstaand plasje gevormd dat straks als de zon doorbreekt zal verdampen. Het water hier aan de kustrand ziet donker van de algen en wieren die tegen de onderkant van de rotsen groeien. Ik kijk over de platte rotsblokken, ze zijn hier en daar met grijswit uitgeslagen wieren bedekt. Ik draai mijn rug naar zee. Dat geeft meteen een wat beter, stabieler gevoel.

'Is hier ergens soms de stenen man? U kijkt zo om u heen.'

'Heeft Vera je daarover verteld?'

'Nee, u zelf.'

'Ach...'

'Het geeft niet.'

'Hier,' zeg ik. 'Vanaf hier kun je hem zien. Als je naar rechts kijkt, naar die in zee uitstekende rots. Het is alsof daar bovenaan een man ligt, ingebed in de rots, met zijn gezicht naar de open zee gekeerd, zie je wel?'

Een meisje. Daar staat ze. Ze tuurt. Ze knijpt haar ogen

een beetje samen, alsof ze licht bijziende is. Ze stopt haar handen in de zakken van haar blauwe jack en aan haar gezicht is te zien dat zij niets ziet dan steen en water.

'Ieder mens ziet iets anders,' zeg ik om haar te troosten. 'Zelf zie ik hem heel duidelijk liggen, maar dat komt misschien omdat andere mensen hem mij hebben aangewezen. De legende wil dat hij een schipbreukeling was van lang geleden. Hij staart uit over zee en probeert zo schepen naar de kust te lokken waar ze op de rotsen lopen, zodat hij eindelijk weer gezelschap zal krijgen. Een typisch zeemansverhaal. Iedere zeeman is nu eenmaal bang voor de kust.'

'Ik houd niet van de zee,' zegt het meisje. Ze kijkt naar de overkant van de baai die hier op zijn breedst is. 'Ik ben er bijna een keer in verdronken.'

'Een collega van mij ook,' zeg ik. 'Alleen had hij de zee niet nodig. Een badkuip was voor hem voldoende. Misschien had ik hem kunnen redden.'

'Redden. Was u erbij dan... toen het gebeurde?'

'Nee. Ik ben weggegaan en toen is het gebeurd.'

'Iemand heeft mij gered,' zegt ze. 'Iemand. Ik was te ver gegaan. Terug op het strand ben ik bewusteloos geraakt. Toen ik bijkwam was die man al verdwenen. Niemand wist wie hij was. Niemand kende hem.'

'Arme Karl.'

'Karl?'

'Kent u hem? Karl Simic. Simmitsj, zo spreek je dat uit.'

'Zullen we teruggaan?' zegt ze.

'We hoeven Robert maar achterna te lopen,' zeg ik. 'Moet u voor donker thuis zijn?'

'Ik ga met u mee.'

'Blijft u eten? Weet Vera daar dan van?'

Ze knikt. Dat had Vera me dan wel eens kunnen vertellen. Er gebeurt te veel achter mijn rug om tegenwoordig. Dat was op het laatst op mijn werk ook zo. Je werd niet helemaal serieus meer genomen. Alleen maar omdat je een dagje ouder was geworden. Het respect en de belangstelling verdwijnen. Ik maak mijn arm uit de hare los.

'Ik wil een stukje alleen lopen.'

Ze blijft vlak achter me. Ik versnel mijn pas om vlugger bij Vera te zijn. Alleen met haar kan ik nog wat je vroeger een 'gesprek' noemde voeren (de rest ondervraagt je alleen maar, of probeert je in de war te brengen, om de tuin te leiden).

Begrijp dit niet. Vera woont hier toch? En nu opeens is ze verdwenen, nergens meer te vinden terwijl een jong meisje in de keuken vlees staat aan te braden. Iemand zal me dit toch uit moet leggen. Overal heb ik gekeken, maar ze is nergens. Het is het goede huis, dat weet ik zeker. Trouwens, Robert zou de eerste zijn om die vergissing te signaleren. Hij ligt op zijn oude vertrouwde plaatsje te slapen, moe van de buitenlucht. Ben ik ook trouwens, maar ik kan me nu niet permitteren een tukje te gaan doen. Je moet wakker blijven. Eerst moet dit opgelost worden.

Het begint al licht te schemeren. Zo lang blijft Vera anders nooit op de bibliotheek. En sinds wanneer hebben we een meisje voor de huishouding. Ik heb het al meer gezegd: meer en meer wordt achter mijn rug om geregeld. Dat bevalt me niets.

3561, het nummer van de bibliotheek. Dat ken ik nog steeds uit mijn hoofd. Er wordt niet opgenomen. Die is dus al dicht.

Ik loop naar de keuken en vraag aan hoe ze heten mag of ze ook weet waar Vera is.

'Bij Ellen Robbins,' zegt ze.

'Dat verandert de zaak.'

Ik moet toegeven dat het hier heerlijk ruikt. Het meisje loopt met me mee de kamer in. Vraagt of ze even op die piano daar mag spelen.

Ze speelt uit haar hoofd. En dan wordt door de muziek opeens alles helder en duidelijk. Ik wist al die tijd natuurlijk wel wie ze was, maar ik kon haar niet in deze omgeving inpassen. Gebeurt wel meer dat je mensen los van hun vertrouwde omgeving aanvankelijk niet herkent.

Ik schuif een stoel bij en kijk naar de krachtige ringloze vingers die moeiteloos hun weg zoeken over de zwarte en witte toetsen. Wat speelt ze prachtig! En dan doe ik wat ik altijd gewild heb maar nog nooit gedurfd. Heel even speelt ze door, maar dan tilt ze mijn hoofd uit haar schoot en duwt mij overeind. Van de schrik begint ze Engels tegen mij te praten.

'Dat moet u niet meer doen. Anders zal ik moeten gaan.'

Allemaal in rap Engels. De les is kennelijk afgelopen terwijl ik toch nog geen maat heb voorgespeeld. Ze leidt me naar de bank en loopt dan door naar de keuken.

Rechtop zit ik op de bank. Even is het zo stil in huis als in een duikerklok. Of welt die stilte uit mijzelf omhoog? Ik kom overeind en loop naar een televisieapparaat dat op een laag eikehouten tafeltje staat en zet het aan.

Ik kijk naar een spelletje met veel lachende mensen in een zaal en verspringende cijfertjes onder in het beeld. Alhoewel ik het spelletje niet erg begrijp ga ik er kennelijk toch zo in op dat ik Vera niet heb horen binnenkomen. Misschien heeft ze op haar tenen gelopen omdat ze dacht dat ik voor de televisie in slaap was gevallen. Ze komt naast mij op de bank zitten en vraagt hoe de wandeling met Phil was. Zij weet hier dus meer van.

'Hoe ken je haar eigenlijk?'

'Via dokter Eardly. Ze komt een tijdje bij ons in huis.'

'Ik dacht dat het een vriendin van Kitty was. Ze is nog zo jong.'

'Ze blijft een tijdje bij ons. Dan kan ik het wat rustiger aan doen.'

'Ben je op de bibliotheek geweest?'

'Nee. Ik was even bij Ellen Robbins.'

'Je haar zit anders. Ben je bij de kapper geweest?'

'Nee hoor, zo heb ik het al een hele tijd.'

Ik zwijg. Dit soort half verzandende gesprekken neemt hand over hand toe. Voortdurend mis ik schakels. Als je goed oplet en luistert valt er nog heel wat te reconstrueren, genoeg om naar buiten toe de schijn op te houden dat je alles begrijpt, maar soms vallen er zulke gaten dat je ze alleen nog maar kunt vullen door te zwijgen, te doen alsof je het niet verstaan hebt.

Vera staat op en loopt naar de keuken. Phil heet dat blonde meisje dus, Phil.

Drie graden is het buiten op pappa's Heidensieck-thermometer. Mussen scharrelen tussen harde gekrulde bruine bladeren onder in de kale struiken langs de oprit. In de bocht van de Field Road komt de mosterdgele schoolbus uit Gloucester aanpuffen. Achter de beslagen ramen slaan kinderen elkaar met schooltassen. Ze gillen en roepen, ze bonken met hun handen tegen het glas, rennen achter elkaar door het middenpad. Ik kan ze zien maar niet horen.

De bus zet ze bij de halte af en rijdt dan leeg terug rond Eastern Point naar de Atlantic Road, naar het gemeentelijke parkeerterrein aan de haven. Ik kijk toe hoe de kinderen uit de bus klauteren – de kleine Richard van Tom als laatste – en als kleurige vlekken in alle richtingen tussen de kale stammen weghollen. Richard. Met zijn donkerblauw gestreepte ijsmuts kijkt hij de weg af. Dan laat hij de schooltas van zijn rug glijden, houdt hem in zijn rechterhand en loopt licht hinkend het bos in. Bij iedere stap beweegt de wijd uitstaande pauwestaart op zijn rug. Met zijn vrije hand slaat hij sneeuw van de takken, de laatste sneeuw van het jaar. Als hij zijn hoofd even deze kant op draaide zou hij me kunnen zien staan. Dan verdwijnt hij uit mijn gezichtsveld.

Hier in Gloucester is de school modern, met grote ramen waardoor de kinderen naar buiten kunnen kijken, over de baai met zijn vissersboten of naar de uit zee aanrollende mistbanken die alles opslokken behalve de flikkerende lamp van het automatische baken op het lage rotseiland midden in de baai, Ten Pound Island. Mijn lagere school leek meer op een stenen fort met smalle hoge ramen. Per klas werd je vanaf de speelplaats door de massieve eikehouten deur naar binnen gemarcheerd, de naar groene zeep geurende trappen op en de klas in, waar het naar krijt en oude dweilen rook en 's winters naar natte kleren en briketten. Als ik op mijn lagere-schooltijd terugkijk is het alsof ik zes jaar lang onzichtbaar ben geweest, ergens achter in de klas. Onzichtbaar en luisterend naar het gepiep van stuivende krijtjes over het grijze schoolbord. Pappa ging soms naar school om te vragen hoe het ging want zelf zei ik nooit iets. Ik herinner me dat hij eens woedend thuiskwam omdat de onderwijzer zich bij mijn naam niemand kon voorstellen. Eigenlijk pas toen ik rechten ging studeren werd ik een beetje zichtbaar, begon ik te praten en een heel enkele keer op een dispuutavond met wat bier op zelfs tegen te spreken. Daarom mocht ik met Jan Tholen en Paul Verdaasdonk mee naar een feest op een van de grachten. Daar zat Vera.

Ik was een beetje dronken, een heel klein beetje maar, maar net genoeg om een heel verhaal af te steken over een toneelstuk dat ik in die tijd had gezien, *De Meeuw* van Tsjechof geloof ik. Ze zat met haar knieën tegen elkaar op een poef, haar handen om haar smalle knieschijven gevouwen. Een strakke grijze rok en een zwarte trui had ze aan. Ergens vanuit een hoek van de kamer viel lamplicht langs de zijkant van haar kaak. Gek dat ik me van die eerste momenten het beste haar knieschijven en haar kin herinner, het benige. Ze luisterde alleen maar. Ze luisterde terwijl ze me onafgebroken aankeek. Voor het eerst van mijn leven was ik niet verlegen. Ik keek terug. Ik weet niet of het de anderen in die kamer opviel. De kamer, de anderen, ik ben ze compleet vergeten. Wat in mijn herinnering is overgebleven zijn Vera en ik die elkaar aankeken, ook toen ik al lang was uitgepraat. Het had iets heel obsceens en opwindends. We drongen in elkaars ogen. Liefde op het eerste gezicht. Dat is de uitdrukking. Maar in werkelijkheid wilden we in één oogopslag elkaars vroegere leven kennen, tot in de kleinste details. Dat ze mij voor deze ontmoeting niet had gekend, van mijn bestaan onkundig was geweest, kwam mij meteen als onverdraaglijk voor. Niemand mocht ze meer hebben. Haar vader, haar moeder, haar eventuele broers of zusters, haar hartsvriendinnen, ik vaagde ze met mijn blik uit haar leven en gaf haar een nieuwe naam. Later bracht ik haar op de fiets naar het huis van een tante in Oost waar ze logeerde. Een half uur lang stonden we in een koud stenen portiek tegen elkaar aan gedrukt. De volgende middag kreeg ik een telegram uit Alkmaar. 'Kom onmiddellijk.' Als de dringende oproep van een stervende. Die nacht sliep ik met haar in de kamer van een vriendin. We paarden, dat is het enige woord, heftig, alsof ons leven ervan afhing. Nu is het leven begonnen dacht ik, nu is een leven begonnen waar je geen vermoeden van had. Drie maanden later waren we getrouwd. Ik moest mijn ouders overtuigen dat het geen moetje was.

'Maarten. Voel je dan niets!'

Ze wijst op de schroeiplekken ter hoogte van mijn knieen. Nu ze het gezegd heeft ruik ik het wel, maar ik voel nog steeds niets. Dat je zo lang met je benen tegen een radiator kan staan zonder de hitte te voelen kan natuurlijk niet verklaard worden met mijn antwoord dat ik 'in gedachten' was. Kun je zo diep in gedachten zijn dat je er gevoelloos van wordt? Het is een vervelend incident, vooral omdat ik bij God niet weet waar ik dan zo diep over in gedachten was. Ik beloof haar meteen een andere broek aan te trekken.

Ik kleed mij uit en kruip onder de koude lakens. Met opgetrokken knieën blijf ik doodstil liggen tot ik helemaal warm ben. Dan pas draai ik mij op mijn zij. Net als ik lekker lig komt Vera me wekken. Is het ochtend? En waarom al die haast? En sinds wanneer kleed ik mij zelf niet meer aan? Ze knielt voor mij neer en strikt mijn schoenveters.

'Ga eens staan!'

'Zo ben je net mijn moeder als we eens per jaar de stad ingingen om kleren te kopen.'

'Ik ben je moeder niet.'

Nee, dat weet ik ook wel. Wat heeft ze toch vanochtend?

Rosbief aan het ontbijt? En wie is dat meisje aan tafel? Uit haar gedrag maak ik op dat ze weet wie ik ben. Afwachten maar. Misschien zegt Vera haar naam straks of maakt ze een of andere opmerking waaruit ik iets omtrent haar identiteit kan opmaken. Hier voorziet de methode Simic niet in. Die werkt alleen maar om jezelf onzichtbaar te maken. Ik moet een paar keer hartgrondig gapen. Ik excuseer me maar ze doen net alsof ze het niet gemerkt hebben (dat is nu wel weer aardig van die twee vrouwen).

Veel trek heb ik niet, maar wie serveert er nu ook rosbief aan het ontbijt. Ha, nu wordt er gepraat, een gesprek tussen die twee!

'Wil je er niet wat sla bij, Phil,' zegt Vera.

Goed, die jonge heet dus Phil. Meteen aansluiten nu.

'Heb je het niet warm in die wollen trui, Phil?' zeg ik tegen het blonde meisje.

Ze schudt haar hoofd, heeft net haar mooie mond vol. Jammer, want ik zou haar borsten wel eens willen zien.

Vera had ook van die mooie vroeger. En nog vind ik het heerlijk om mijn gezicht ertussen te leggen.

Ze eten en ze zeggen niets meer. Zo nu en dan kijken ze naar me alsof ze iets van me verwachten. Vera geeft het blonde meisje nog een plakje rosbief. Goed klaargemaakt, van binnen bloedrood, zoals het hoort. Dat kun je wel aan Vera overlaten.

'Ik heb boven een kamer voor je in orde gemaakt,' zegt ze tegen het meisje, dat dus zeker logeren blijft. Misschien is het een vriendin van Kitty die onverwachts is langsgekomen in de veronderstelling dat Kitty wel thuis zou zijn. Ze is mooi. Volle lippen, de bovenlip klassiek gewelfd en een hoog wat bollend voorhoofd. Ze doet me aan iemand denken. Blauwe ogen; helblauw. Meestal zijn blauwe ogen flets, met een beetje grijs erdoor, zoals bij mij, maar deze niet. Ze kijken en ze zien. Ik zou wel durven spreken maar omdat ik niet weet hoe ze heet houd ik mijn mond.

Ze kent mij wel. Dat blijkt uit haar hele gedrag. Een patstelling. Ik wacht tot de omstandigheden die voor mij doorbreken. Dat is het vervelende. Steeds meer moet ik afwachten, op mijn qui-vive zijn. Wat vroeger vanzelfsprekend was (tenminste dat moet ik toch aannemen) is nu raadselachtig geworden. En ik wil ook niet de hele tijd vragen stellen. Dus wacht ik af en kauw in de tussentijd langzaam en zorgvuldig op een stukje vlees.

Ineens zijn ze klaar met eten en meteen daarop staat er koffie (die dames maken opeens wel tempo zeg). Ik krijg er iets bij, een groene capsule (of is het een zoetje?).

'Meteen doorslikken, Maarten, niet bijten.'

Als Vera het zegt zal het wel goed zijn.

'Ik dacht dat het een zoetje was,' zeg ik verontschuldigend.

Het meisje bestudeert haar nagels. Ze verveelt zich zo te zien. Wat doet ze ook bij twee oude mensen aan tafel?

'U mag gerust de televisie aanzetten hoor,' zeg ik tegen haar.

Ze doet het meteen en dat stemt mij voldaan. Ik heb het haar een beetje naar de zin kunnen maken. Ze gaat breeduit op de bank zitten, haar armen gespreid op de rugleuning en haar benen over elkaar geslagen. Ze heeft groene gebreide slofjes aan haar voeten. Dat verbaast me in deze tijd van het jaar.

'Hoe gaat het nu, Maarten?'

Ik kijk naar de drie verticale rimpels tussen Vera's smalle wenkbrauwen. Dan ruik ik sigaretterook. Er zit daar in de kamer een meisje dat een sigaret rookt!

'Hoe gaat het nu, Maarten?'

'Ik zou het niet weten. Heus, het spijt me. Echt niet.'

'Probeer eens te zeggen wat je denkt.'

'Alles gaat met horten en stoten. Er is geen vloeiende beweging meer in, zoals vroeger. Nergens meer. De dag zit vol scheuren en gaten. Zeggen en schrijven. Nee echt, heus niet. Het gaat niet meer. (Wie of wat vormt deze knarsende zinnen, die ik er door tussenvoegsels en -werpsels nog zo'n beetje achteloos probeer uit te brengen?)

'Wie is dat meisje daar?'

'Maar Phil is toch geen vreemde. Je hebt vanmiddag nog met haar gewandeld.'

'Ach ja, natuurlijk. Dan is het nu avond dus. Dat is een meevaller zeg!' (Misschien sla ik haar iets te hard op haar schouder, dat heb ik soms ook niet meer helemaal in de hand, het verdelen van mijn krachten over de diverse handelingen; een glas dat ik veel te zacht vastpak en dat kapot valt, een handdoek die ik vastgrijp alsof hij twintig kilo weegt.)

'Morgen is het weer vroeg dag!' (Dit soort zinnen gaat nog het makkelijkst; spreekwoorden, staande uitdrukkingen schieten er nog vanzelf uit, daarin lijkt mijn spreken nog het meest op praten.)

Ik sta op en zwaai naar een blond meisje dat vriendelijk vanaf de bank terugwuift zonder haar pols te draaien.

Plotseling kolkt mijn lichaam van de slaap. Zelfs van tandenpoetsen zie ik maar af.

Ik word wakker met een gevoel alsof ik liters bier gedronken heb. Ik ga naar de wc maar er komt maar een aarzelend dun en heet straaltje. Op blote voeten schuif ik terug door de donkere gang. Boven aan de trap zie ik onder Kitty's deur licht branden. Zachtjes loop ik steun zoekend aan de leuning naar boven.

Vader en dochter, dat is toch een andere band dan je met een zoon hebt. Met Fred is het contact stomperiger, maar met Kitty praat ik graag.

Als ik haar kamer binnenkom slaat ze verschrikt haar handen voor haar blote borsten. Ik glimlach en ga op de rand van haar bed zitten. 'Het is je vader maar,' zeg ik.

Ze glijdt aan de andere kant in haar witte slipje uit bed, grist een blauw t-shirt van de stoel waar ze haar kleren overheen gehangen heeft en trekt het snel aan. (En plotseling, in een flits: dit is de laatste keer dat je dit ziet: hoe Kitty met haar borsten vooruit en een holle rug het t-shirt tot over haar donkere invallende navel strak naar beneden trekt.)

'Ach ja,' zeg ik gelaten, 'er komt een tijd dat dochters niet langer bloot willen lopen voor hun eigen vader.'

Ze kijkt me in de hoek van de kamer, naast de stoel, een beetje peinzend, met scheef gehouden gezicht aan. Een streng van haar blonde haar valt langs haar linkerschouder over het t-shirt. Op het kussen ligt een opengeslagen boek waarin ze heeft liggen lezen. *The Heart of the Matter* van Graham Greene.

Ze loopt om het bed heen en trekt me met zachte dwang overeind. 'Kom,' zegt ze in het Engels. 'Het is midden in de nacht. 'U moet gaan slapen.'

'O, is het al zo laat?'

Gearmd lopen we de trap af. Het heeft iets van schrijden, iets voornaams, alsof ik dit meisje dat ik niet ken moet uithuwelijken aan een nog onbekende bruidegom. Vera wordt wakker als het meisje het licht in de slaapkamer aandoet. Ze praat tegen Vera alsof ik een vreemde ben.

'Hij was aan het rondzwerven, 'zegt ze, alweer in het Engels. Zoals je ouders vroeger aan tafel deden als je iets niet mocht horen.

Samen stoppen ze me in bed. Ik ben niet ziek, maar ik laat het me welgevallen. Achter mijn gesloten oogleden zie ik hoe het licht weer uitgaat. Ik lig op mijn rug. Naast mij draait Vera zich op haar zij. Eerst hoor ik haar niet ademen, maar dan plotseling zucht ze een keer zwaar en hoor ik de diepe regelmatige ademhaling die bij een slapend mens hoort.

Bijna vijftig jaar liggen we al zo naast elkaar. Het is haast niet te bevatten wat dat betekent. Het gevoel twee communicerende vaten te zijn. Haar stemmingen, haar gedachten; ik kan ze bijna van haar gezicht aflezen, zoals pappa de temperatuur van zijn thermometer. Een grafiek van mijn liefde voor Vera? Een idee dat pappa niet begrepen zou hebben. Eén keer heeft hij het over zijn liefde voor mamma, die hij steevast 'vrouw' noemde, gehad. Dat was toen ze veertig jaar getrouwd waren en hij met een glas rode wijn in de hand een tafelrede hield. Hij vergeleek mamma met een stuk muziek, met het adagio uit de Veertiende Pianosonate van Mozart. 'Even klaar, helder en ondoorgrondelijk.' Dat zei hij. En daarna speelde ik het adagio op onze ontstemde zwarte piano en kreeg mamma tranen in haar ogen zei pappa want zelf kon ik dat niet zien. Ik kan niet slapen omdat ik moet pissen. Dan heeft het geen zin te blijven liggen, dat weet ik uit ervaring.

Iemand heeft het licht in de gang laten branden. Klaar, helder en ondoorgrondelijk. Zonder vrouwen zou de wereld grauw en gewelddadig zijn, zegt pappa. 'Maarten, speel jij nu wat ik bedoel, maar waarin mijn woorden te kort schieten.'

Die zin is het sein dat ik naar de piano moet lopen. Dat hebben we zo met elkaar afgesproken, pappa en ik.

Ik ga voor de piano zitten, houd mijn handen boven de toetsen en zoek. Ik kan het begin niet vinden. Altijd zie ik het voor me maar nu niet. Misschien moet ik eerst licht maken. Ik doe de schemerlamp aan en blijf even naar de toetsen staan kijken. Dan ga ik weer voor het instrument zitten. Ik sluit mijn ogen in de hoop dat de afstanden tussen de toetsen terugkeren, dat ik de eerste noten weer in mijn vingers zal voelen, maar er gebeurt niets. Ik sta op en zoek de sonate tussen de stapel bladmuziek op de piano. Ik zet het album op de standaard en blader tot ik het adagio gevonden heb. Daar staan ze, de noten. Maar ze willen niet van het papier af mijn vingers in. Ik kan ze toch niet teleurstellen straks. Misschien moet ik eerst even inspelen, zomaar wat tonen, dat het begin dan plotseling terugschiet in mijn vingers. Als ik het begin maar eenmaal heb dan komt de rest vanzelf. Steeds harder en harder druk ik witte en zwarte toetsen in, steeds meer toetsen druk ik in om dat ene verdomde begin te vinden. Maar er zijn duizenden mogelijkheden. Toch zal en moet ik het begin vinden!

'Maarten, wat is er? Waarom zit je te huilen?'

Vera in haar donkerblauwe peignoir, haar bruine haar in een woest uitstaande dos om haar hoofd.

'Het begin, ik kan het begin niet meer vinden.'

Ik hoor geloop boven mijn hoofd, kijk naar de zoldering.

'Dat is Phil,' zegt ze met mij meekijkend. 'Je hebt haar wakker gespeeld.'

Ik weet niet op wie zij doelt, maar het spijt me natuurlijk. 'Ik was aan het oefenen voor de bruiloft en nu kan ik het begin niet meer vinden.'

Daar is nog iemand. Een jong meisje in een spijkerbroek en een blauw t-shirt. Ze loopt op blote voeten, wat merkwaardig is voor deze tijd van het jaar.

'Maarten speelt altijd het adagio uit Mozarts Veertiende Pianosonate uit zijn hoofd. Al jaren. En nu opeens kan hij het begin niet meer vinden.'

Het meisje knikt slaperig. Ik zie dat het haar niets interesseert (en terecht, wat is dit ook voor een belachelijke situatie, een oude man die midden in de nacht in zijn pyjama piano zit te spelen).

'Ik zal even iets voor hem halen,' zegt ze en gaat de kamer uit. Vera loopt naar de pick-up naast de televisie. Ze hurkt voor het plankje met platen. Ik heb het koud. En trek in bier. Ik loop naar de keuken.

Midden in de keuken, met het handvat van de ijskastdeur in mijn hand hoor ik plotseling het adagio uit de kamer komen. Klaar, helder en ondoorgrondelijk. Langzaam, plechtig bijna, betreed ik op het ritme van de muziek de kamer.

In het midden van de kamer staat Vera tussen de meubels. Ik heb haar nog nooit zo gezien, zo alleen en zo klein als ze daar op blote voeten in haar donkerglanzende peignoir tussen de glimmende meubels op de planken vloer staat. Haar handen lijken naar houvast in de lucht te tasten.

Ik weet dat ik iets gedaan moet hebben dat niet in de haak is. Ik wil naar haar toe om het haar te vragen, om de afstand tussen haar en mij te overbruggen. Maar dan word ik van achteren vastgepakt en voel ik dwars door de mouw van mijn pyjama heen een doffe scheut van pijn in mijn linker bovenarm omhoog schieten.

Vera zit op de bank. Ze luistert naar Mozarts adagio. Zij heeft tranen in haar ogen. Zo lijkt ze sprekend op mamma.

Ik word weggeleid door een vreemde maar het zal wel in

orde zijn als Vera plotseling weer zo gelukkig is. Daarom glimlach en knik ik tegen de jonge vrouw naast me. Ik doe gewoon alsof dit leven zo hoort.

Een enorm bed. Lig er ook helemaal hartgrondig verkeerd in. Wat stinkt het hier hè? Mijn kont schrijnt, ijskoude billen heb ik. Ik probeer overeind te komen maar mijn onderbenen zitten vast. Wat is er gebeurd? Waar ben ik heen verhuisd? Waar staat dit bed? Nou?

Ik herken al die dingen om mij heen nog wel, dat heus nog wel. Achter een gesloten deur klinkt een onbekende Amerikaanse vrouwenstem: 'Laat het bad even vollopen.'

Heb ik godverdomme het echtelijk bed volgescheten! Hoe vind je die? Mijn schuld is het niet. Als je een mens aan zijn bed vastbindt! Met riemen om de voetspijlen. Nou vraag ik je. Wie heeft dat gedaan? En waar is Vera? Ik roep haar maar denk maar niet dat er iemand komt. Ik kan niet bij de riemen die in mijn enkels snijden. Kon ik maar net zo goed tegen mijn eigen strontlucht als Robert.

'Robert! Robert!'

Niemand. Misschien is iedereen weggegaan. Laten ze me hier op bed rotten. Ik hoor water stromen. Straks loopt de boel onder en ik kan mijn bed niet uit. Ik trap om me heen. Het bed kraakt maar de riemen geven geen centimeter mee.

Er gaat ergens in de ruimte een deur open. Ik durf niet te kijken omdat ik geen idee heb wie er binnenkomt. En omdat ik me schaam. Als een beest lig ik hier in mijn eigen mest. Ik houd mijn ogen stijf gesloten. Ik hoor iemand kokhalzen. Voel hoe handen de pyjama van mijn lichaam stropen. Ze willen dat ik mij voort ga bewegen. Moet mijn ogen wel opendoen nu en zie een oude man in de spiegel, een oude man met een slap gerimpelde buik vol strontvegen. Ik glimlach opgelucht. Dat ben ik tenminste niet!

Twee vrouwen tillen me in een bad, een oude en een jonge.

Net alsof ik geen lichaam meer heb in dit water. Alleen waar ze mij aanraken, mij wassen, ontstaat het weer even.

Voorzichtig, zeg ik tegen de jongste die me niet durft aan te kijken omdat ze zich schaamt voor een mannelijk geslachtsdeel dat daar in het zeepwater ronddrijft en nu zachtjes trillend en paars omhoog komt.

'Kijk er maar rustig naar,' zeg ik. 'Het regiem onder de gordel noemde Chauvas dat altijd. Waarom bedekken wij het zo angstvallig, waarom rust er zo'n taboe op? Weet je wat Chauvas' idee was? Chauvas zei het volgende. Mag ik even de aandacht want dit kan, zoals u wel zult begrijpen, niet genotuleerd worden en zeker niet door secretaresses. Wij zijn bang voor seksualiteit omdat ze de basis van onze hele maatschappij ondergraaft: het idee dat ieder mens een uniek individu is met een georganiseerd leven. Maar als iedere man in principe met iedere vrouw naar bed kan en omgekeerd dan zijn al die verhalen over voorbestemdheid, uitverkorenheid, lotsbestemming en eeuwige liefde lariekoek. Als deeltjes zweven we door de ruimte, plus en min. En waar die elkaar raken vindt soms versmelting plaats. Ieder mens weet dat, maar verdringt het. De mens is niet in staat tot filantropische seksualiteit omdat er geen enkele reden meer zou zijn om nog iets anders te doen dan dit.'

Ik pak die stijve pik in het water vast en voel dat het de mijne is. Van schrik en schaamte laat ik los.

Ze trekken me overeind. Ze zeggen niets terug terwijl de jonge mij afdroogt en de andere mij een onderbroek over mijn stroeve vochtige billen probeert te trekken om het gespreksonderwerp – dat gelukkig weer slap wordt – zo snel mogelijk aan het gezicht te onttrekken. Dan hijsen ze me in een ochtendjas.

'Ik hoef toch niet naar bed? Hebt u het begrepen, mevrouw', zeg ik tegen de oudste, die er een beetje verfomfaaid uitziet met haar vochtig neerhangende slappe bruine krullen en haar gerimpelde hals.

'We hebben Freud ook gelezen,' zegt de jongste snibbig.

Eigenwijsheid is de jeugd eigen. Denken dat ze iets van het leven weten als ze een paar boeken hebben gelezen.

'Kijk om je heen,' zeg ik. 'Niet dat ik Chauvas' gedrag goedkeur. Integendeel. Maar niemand kan accepteren dat wat hij zijn leven noemt alleen maar een mogelijk leven is geweest. Het had ook heel anders gekund. Als je je pik toevallig in een andere kut had gestopt bij voorbeeld. Nog sterker: als je vader een ander dan je moeder geneukt had of je moeder een andere man dan was je er in deze vorm helemaal niet eens geweest!'

'Ga je mond spoelen.' Het is Vera die dat zegt.

'Goed,' zeg ik. 'Dat zal ik doen. Meteen.'

Ze laten me los, zodat ik bij de wastafel kan komen. Ik pak de tandenborstel en kijk in de spiegel. Er is niemand daar. Alles is wit. Ik gooi de tandenborstel weg. Ze pakken me beet. Ik laat me meenemen, wegvoeren uit het wit van die spiegel.

Wil meer eten. Mag niet van hen. Halen gewoon mijn bord weg. Hoe vind je zo iets? Ze zijn hier niet bekend, dus geven ze geen antwoord als ik wat vraag. De gewoonste dingen: tijd, jaargetijde, wat de plannen zijn voor vandaag.

De vingers van mijn linkerhand zijn gevoelloos. Leg hem op tafel, handpalm naar boven. Beweeg mijn vingers. Bal, ontspan; bal, ontspan. Vergeleken met de rechter: alsof er geen stroom meer doorheen komt. Wrijven... wrijven... wrijven.

Klossende voetstappen, plotseling vlak in mijn buurt. Doet pijn aan mijn oren. Delen van het lichaam zijn overgevoelig, andere totaal ongevoelig.

Schrik me dood als er opeens iemand bij de aanrecht staat. Een kleine vrouw met een citroengeel schort voor. Ze laat water uit een gootsteenkraan op witte borden lopen. Ik vraag haar waar Vera is maar krijg daarop geen antwoord. Haar hals is gerimpeld en bruin van het buitenleven. Ik weet niet waar ik ben.

Pak een tafelrand vast en laat hem dan weer los. Nog eens. Er is activiteit in de ruimte om me heen die volstrekt los van mij staat, langs mij heen gaat. Geluid van water dat gorgelend door een afvoer wegstroomt. Zeer geslaagd. Jammer dat het nu weer ophoudt. Misschien kunnen wij het nadoen.

Wil bij water zijn, dicht bij water, die verdoofde linkerhand in een snelstromende ondiepe beek houden. Roerloos aan de kant blijven zitten en dan, opeens, in een trillende zonnevlek op de zilverwitte rivierzandbodem gevangen de smalle schaduw van een vis zien staan (waar komt dat beeld vandaan, uit welke diepte, het is zo duidelijk alsof ik het aan kan raken; het is smartelijk maar waar: dat jongetje dat daar aan de kant van die beek zit ben jij geweest, Maarten!).

Een jonge vrouw met lang steil blond haar zit nu tegenover mij aan tafel. Knik maar eens tegen haar al begrijp ik haar aanwezigheid niet. Ze vraagt waarom ik zo met mijn hand over tafel wrijf.

Ik kijk en nu pas voel ik dat de hand over de rode noppen van een keukenzeil wrijft (hoe lang is dit zo al aan de gang?).

Als ik mijn hoofd weer omhoog getild heb, moet ik snel een glimlach forceren. 'Ik ben een oude man geworden. Toch nog plotseling lijkt wel,' zeg ik. Ze schudt haar hoofd, maar ik weet beter.

Ze staat op en het rood van haar trui wordt nog veel roder dan de noppen van het keukenzeil. Ze hijst me overeind. Vind het vervelend dat ik de tafelrand los moet laten en grijp haar hand vast. Ze leidt me uit dit vertrek door een openstaande deur naar een andere ruimte. Daar staat pappa's bureau! Ik herinner me dat ik er zondags aan mocht zitten tekenen. Een wit papier op een biljartgroen vloeiblad vol inktvlekken en streepjes van afgevloeide brieven van pappa. Als je lang keek zag je er van alles in: dieren, gezichten. Die tekende ik dan na.

'Toen ik een kind was kroop ik graag met een boek onder dat bureau. De reizen en lotgevallen van Kapitein Hatteras. Kapitein Hatteras, op zoek naar de Noordpool. Daar droomden ze in de tijd van Jules Verne allemaal van. Ik las er als jongen graag over. Amundsen, Nansen, Kapitein Hatteras. Weet je dat hij gek werd ten slotte, opgesloten in een inrichting? Het slot van *De IJswoestijn* heb ik nooit vergeten. Hij loopt in de tuin van het gesticht, die omgeven is door een hoge bakstenen muur, steeds maar in één richting, naar het noorden. Net zo lang tot hij op de muur stuit. Daar blijft hij, met zijn uitgestrekte handen tegen de stenen, urenlang roerloos staan. En dan leg ik mijn handen zo tegen het hout van pappa's bureau en sluit ik mijn ogen en probeer ik te bedenken hoe het is om Kapitein Hatteras te zijn, helemaal alleen in een woestijn van ijsschotsen.'

'Uw vader is dood.'

'Tja, dat kan ook moeilijk anders als je zo oud bent als ik nietwaar?'

Weer een tafelrand. En een stoel. (Was die er al of werd die net naar voren geschoven?) Ik ga zitten. Zie dat het wrijven weer is begonnen. Niet onprettig trouwens.

'Ik zat het liefst onder het bureau. Schoof ik de bureaustoel naar achteren en dan kroop ik eronder met een boek. De reizen en lotgevallen van Kapitein Hatteras. Ten slotte werd hij gek van al dat wit. Hij kwam in een gesticht terecht. Daar liep hij almaar naar het noorden. Tot hij niet verder kon. Tot hij tegen een muur op liep. Daar bleef hij staan, urenlang.'

Buiten loopt een vrouw door een besneeuwde tuin naar

een blauwe auto. Ze zwaait. Ik zwaai terug. De mensen zijn wel vriendelijk hier, dat moet gezegd. Ze start de auto en rijdt achteruit een inrit af (het uitzicht zou minder leeg zijn, beter te harden als bomen net als mensen ieder een eigen naam hadden).

Een meisje tegenover me vraagt waarom ik met mijn linkerhand over hout wrijf.

'Anders kan ik die hand niet meer zien.'

'Zien?'

'Ja.'

'U kunt uw linkerhand niet meer voelen anders?'

'Zo iets. Ja, precies eigenlijk. Wat ik al zei.'

Ze heeft een langwerpig boek gepakt en slaat het open. Zwarte bladzijden. Ze draait het boek om en schuift het naar me toe.

'Geen plaatjes alstublieft.'

'Maar het is uw eigen fotoalbum.'

Om haar een plezier te doen blader ik wat. Trouwfoto's. Foto's van kinderen. Ik draai het album om en wijs op een van de foto's.

'Ik zie ze nooit meer. Kitty zou overkomen. Hebt u haar gezien?

'Ze komt vast nog wel.'

'En Fred al helemaal niet. Je ziet ze niet meer. Het zijn je kinderen niet meer. (Probeer nou niet te gaan huilen.)

'Wat is dit?' Ze legt haar vinger op een foto van een man die langs een brede rivier loopt. Aan de overkant staan sombere herenhuizen in een afdalende rij langs de in de schaduw liggende rivieroever. De man loopt in de zon langs een kademuur. Hij kijkt van opzij in de camera.

'Een rivier,' zeg ik. 'De Rijn misschien?'

'Maar wie is die man?'

'Ben ik dat soms?'

'Ja. Zoveel bent u niet veranderd.'

'Ja nu u het zegt. Dat ben ik ja. Maar van die rivier ben ik niet zo zeker. De Rijn?'

'En wie is dat?'

Een vrouw met een zwart hoedje met een opwaaiende voile achter een kinderwagen. Ouderwets strak getailleerd mantelpak.

'Mamma denk ik. Mijn moeder bedoel ik, neemt u mij niet kwalijk. Met mij.'

Ik kijk van de foto naar haar gezicht.

'Of vergis ik me soms?'

'Kijkt u nog eens goed.'

'Ik weet het echt niet op dit moment.'

'Het is uw vrouw. Het is Vera.'

'Doet u dat boek alstublieft weg.'

'U moet blijven kijken. Als u blijft kijken en heel sterk aan haar denkt dan herkent u haar wel weer.'

'Ze is veranderd. Of misschien ben ik het die veranderd is. Het is een mooie vrouw.'

'Ze is nog steeds mooi.'

Ik knik. Ja, ze blijft voor altijd mooi, met die groene ogen achter die voile, voorgoed geplooid door de wind.

'Het vruchtwater brak,' zeg ik. 'Zomaar opeens. Alsof het regende. Ze klemde zich aan mijn schouders vast. Ik was in één keer doornat.'

Opnieuw kijk ik naar de foto van de vrouw met de kinderwagen, naar de voile die lijkt te willen wegvliegen, naar haar smalle hoopvolle gezicht. Langzaam begin ik voorzichtig te knikken. Dan vertel ik. Een verhaal. Een verhaal over de vrouw met haar hoed en voile. Vera. Ik zet haar met de kinderwagen aan de rand van Amsterdam. Daar woont ze. Ik vertel over het kind in de kinderwagen dat op de foto niet te zien is, maar in het verhaal mijn zoon Fred is. Ik vertel over de weilanden, de kassen, de sloten en de kippebruggetjes die buiten het kader van de foto vallen. Ik vertel over de tijd waarin de foto is genomen, het laatste jaar van de oorlog. Dat klopt niet helemaal met dat mantelpak, maar dat weet dat meisje hier niet, zij is van een generatie die ver na de oorlog is geboren en op een ander continent. Zij knikt en zij luistert. Ik vertel. Over de verstopte rioleringen (omdat de elektriciteit in de gemalen door de Duitsers was afgesloten), zodat overal in de straat diepe strontkuilen waren gegraven die enorm stonken en het gevaar voor het uitbreken van besmettelijke ziektes, zoals cholera en tyfus, niet denkbeeldig maakten. Ik vertel over de oude gebogen heer Mastenbroek van twee hoog die twee dagen voor de bevrijding aan de honger bezweek. Dat kun je je niet meer voorstellen, zeg ik. Wat honger is. Dat doffe knagende gevoel dat niet alleen in je maag zat, maar overal. Al je gedachten werden er door beheerst. Ik vertel over de intocht van de Canadezen en Amerikanen. De zegerit van Eisenhower en Churchill in een open auto. Hoe ik met Fred op mijn schouders in de menigte stond en de tranen over mijn wangen liepen. Over de bevrijdingsfeesten, de eerste reep chocola, de biscuitpap (dik en vet en in het begin te zwaar voor mijn maag die zich maandenlang te goed had gedaan aan suikerbieten en gebakken schijfjes tulpebol). Hoe iedereen weer verliefd werd op het leven, op elkaar, hoeveel kinderen er niet een jaar na die vijfde Mei in Nederland werden geboren. (Ik vertel en vertel en het is alsof ik mij de geschiedenis uit praat, alsof dit een boek is waar ik uit voorlees, of een tekst die ik van buiten ken; het is duidelijk: wat je vertelt ben je kwijt. Voorgoed.) Ik zwijg abrupt en kijk geschrokken om mij heen.

Robert ligt niet op zijn vaste plek. Ik vraag een meisje dat hier rondloopt waar mijn hond is, Robert.

'Hij is even met Vera mee naar Gloucester.'

'Maar hij moet uitgelaten worden om deze tijd.'

'Dat doet uw vrouw wel.'

'Hoe lang blijft ze weg?'

'Niet lang.'

'Weet u waar Robert is?'

'Met uw vrouw mee naar Gloucester. In de auto.'

'Waarom heeft ze niet gezegd dat ze wegging. Bent u daarom hier?'

'Zo'n beetje.'

'Van mij kunt u rustig naar huis gaan. Er hoeft niemand op mij te passen hoor. Integendeel, ik vind het wel prettig om alleen te zijn.'

'Ik blijf toch nog even.'

'Zoals u wilt. Maar vertelt u mij eerst eens wie u bent.'

'Phil Taylor.'

'Die naam zegt me niets, maar mijn geheugen voor namen is altijd slecht geweest. Phil. U moet wel een vriendin van mijn dochter zijn, is het niet? Mijn dochter woont niet hier hoor. Nooit gewoond ook. Je ziet ze nooit meer.'

'Ze komt nog wel.'

'Dacht u dat? Pappa verweet het mij ook dat ik hem zo weinig kwam opzoeken. En dan gaat hij dood en kan er niets meer worden goed gemaakt. Dat is eigenlijk het ergste als iemand doodgaat. De anderen zijn onherroepelijk te kort geschoten. Al het schuldgevoel van mensen komt daar vandaan.'

'Wilt u misschien dat we een wandelingetje gaan maken?'

'Nee. Ik wacht hier op de lente. Het kan nu niet lang meer duren. U mag best weten dat ik de winters hier haat. Als je in november de misthoorn van de vuurtoren hier vlakbij de hele dag hoort loeien dan weet je dat het weer begint. De kou, de donkerte, de sneeuw; het gesjouw met hout. Heeft u de hond ergens gezien? Hij heet Robert.'

'Hij is met uw vrouw mee.'

'Mooi is dat. Dat is tegen de afspraak. Ik laat hier de hond uit.'

'Hij wilde graag mee.'

'Vroeger kon ik hem alleen in de weekends uitlaten, maar nu heb ik tijd genoeg. Hij wordt al een dagje ouder. Het haar rond zijn snuit begint al aardig grijs te worden.'

'Vindt u het goed als ik even televisie ga kijken?'

'Natuurlijk kind, doe maar alsof je thuis bent.'

Ja, ik zou pappa weer eens op moeten zoeken. Natuurlijk begint hij dan weer over de oorlog, zoals altijd. Dezelfde verhalen over hongertochten en reumatiek en zijn buurman die bij de W A ging en die hij nooit meer had aangekeken. En als hij uitgepraat is over de oorlog dan windt hij zijn oude koffergrammofoon op en zet hij het Tweede Pianoconcert van Beethoven op. Een heel album met van die grote zware schellakplaten. Ik zou hem eigenlijk mijn pick-up cadeau moeten doen. Dat zou hij prachtig vinden. In de keuken staat een lege kartonnen doos. Daar past hij volgens mij precies in.

Een jonge vrouw (waar komt ze zo opeens vandaan, staat de buitendeur soms open?) probeert mij bij de pick-up vandaan te duwen.

'Ik laat mij niet weerhouden, juffrouw. Mijn vader zit thuis met zo'n oude opwindgrammofoon en muziek is nog zo ongeveer zijn enige troost en toeverlaat. Koel, helder en ondoorgrondelijk. Misschien kun je me even helpen met inpakken.'

'Uw vader is dood!'

Terecht dat dat gezicht nu een wat schaamtevolle, verbouwereerde uitdrukking vertoont.

'Dat is wel heel gemeen van u, wat u daar zegt.'

Ik draai mij om en loop naar het raam. Achter mij klinkt zachte vioolmuziek. Ik ken het stuk niet, maar het is aangenaam om te horen. Met mijn handen betast ik de vochtige ruit. Daar komt Robert tussen de bomen aangehold. Ik draai mij met een ruk om.

'Als de bliksem opendoen! Robert heeft ons teruggevonden!'

Het blonde meisje van daarnet (ik kan haar dus wel even onthouden) staat op en loopt naar de hal. Ik ga terug naar de pick-up en kijk naar de zwarte plastic arm die langzaam door de groeven van een draaiende plaat naar het gat in het midden van het zeeblauwe etiket beweegt. Ik zie alleen maar het draaien, zo nu en dan een groef die even oplicht. Ik ga op mijn hurken zitten om dichter bij die beweging te zijn. Als vanzelf begint mijn hoofd mee te tollen.

'Pappa, ik kom je snel opzoeken. Zo gauw Vera terug is komen we langs.'

Robert komt naast me staan. Ik sla mijn arm om zijn nek. Zo blijf ik met de hond op mijn hurken voor de pick-up zitten tot ik van vermoeidheid op mijn knieën zak en iemand achter mij zo vriendelijk is mij overeind te helpen. Roberts donkerbruine staart kwispelt als wij samen naar de voordeur lopen. Vera staat met haar jas aan in de hal.

'Wacht,' zeg ik. 'Ik pak ook eventjes mijn jas. We moeten echt nu naar pappa toe. Daar zijn we al in zo lang niet meer geweest.'

Ze schudt haar hoofd, kijkt verlegen naar de touwbruine mat waarop zij staat als op een eiland.

'Dat kan niet, Maarten. Je vader is overleden.'

Ik knik. Ik begrijp het. De tranen lopen over mijn wangen.

'Jullie zijn zo goed voor me.' Ik snik het uit. Ze zeggen dat ik een uurtje moet gaan liggen. Ik krijg een beker warme melk en een capsule tegen het verdriet om pappa zeggen ze, dat nog wat nawoelt in mij zonder dat het tot gedachten of tot tranen komt. Eerder een koele helderheid als in een ongemeubileerd vertrek.

Op bed liggend kijk ik naar buiten, het kale bos in. Tussen de dunne rechte stammen van de dennen en berken en de dode takken op de grond kruipt de sneeuw langzaam de bodem in. Het bos zuigt de sneeuw op en gebruikt haar voor zijn nieuwe bladeren en knoppen die nu nog verborgen in de met sneeuw bedekte takken zitten. Ieder moment kan de lente aanbreken. Dat gaat hier heel plotseling. Op een ochtend word je wakker. Een oeroude geur van humus en bladeren stijgt uit de grond op en dringt door de kieren van het huis naar binnen. Je doet de ramen wagenwijd open. Niet het brutale eenzame geluid van een enkele verdwaald rondkrassende kraai hoor je, maar een onafgebroken koor van tsjilpen en kwetteren. Kleine zangvogels die met duizenden tegelijk naar het bos zijn teruggekeerd.

Ik moet naar buiten, ik moet erbij zijn, tussen de bomen lopen, over de verende grond. Onder je voeten de dode takken met een knal horen breken. Tussen de donkerbemoste keien en rotsblokken lopen, die gletsjers miljoenen jaren geleden op deze landtong hebben achtergelaten. 'Maar er is één probleem.' Ik fluister om niet gehoord te worden. Ze willen mij hier niet laten gaan. Misschien bedoelen ze het goed, die bewoonsters, maar ik moet nu doen wat mijn hart me ingeeft. Ze hebben gelukkig de televisie hard aanstaan, dus het moet lukken. De deur naar de huiskamer is dicht, een meevaller. Een dansorkest gilt met al zijn trompetten tegelijk de hoogte in als ik de buitendeur zachtjes opendoe en weer sluit en meteen rechtsaf het bos insteek.

Ik volg een smal pad dat je alleen kunt vinden als je weet waar het loopt. Eigenlijk bestaat het alleen maar omdat ik het weet. Zo vermijd ik de huizen van mensen die mij zouden kunnen zien.

Tamelijk fris is het nog. Een jas had geen kwaad gekund. Toch ga ik niet terug. De keien die uit de bosgrond omhoog steken tonen weerbarstig hun witgeaderde oppervlakte. Ik heb ontzag voor ze. Ze beheersen deze landtong, houden hem vast. Boven mij is de hemel zo hardblauw dat ik er niet in durf te kijken. Het pad buigt naar links en daalt dan geleidelijk af naar de kust.

Het dode hout is nog te nat om onder mijn voeten te breken, het buigt alleen maar door. Ik snuif en ruik de zee, de witte geur. Er moet nauwelijks golfslag zijn, ik hoor het water tenminste niet klotsen al moet ik er nu toch vlakbij zijn.

Ik struikel en schaaf met mijn rechterhand langs een ruwe dennestam. Hier en daar is de sneeuw in een dikke wal opgewaaid waardoor je de uitstekende boomwortels niet meer kunt zien. Ik lik aan het schaafwondje en zie door de laatste bomen de touwbruine duinhellingen liggen. Hier en daar zijn ze nog met sneeuw beplekt.

Lage harde struiken en dorre distels prikken door de stof van mijn broekspijpen heen. Beter aan de voet van de duinen blijven, proberen van duinpan naar duinpan erdoorheen te trekken, in wijde bogen.

Mijn God, wat koud. Ik wil wel gaan zitten, maar de grond is zo hard. Als ik ons huisje maar eindelijk zag. Pappa heeft me wel eens uitgelegd hoe je je richting ten opzichte van de zonnestand kon bepalen, maar ik ben vergeten hoe dat moet. Braamstruiken steken met een verstijfde wirwar van takken uit de sneeuw. Her en der zie ik vogelprenten of hoopjes donkere verdroogde konijnekeutels. Het lage licht prikt in mijn ogen. Ergens moet toch de zee zijn. Dan kan ik de kustlijn volgen en zo over het strand bij ons huisje komen waar mamma zich natuurlijk ongerust zit te maken. Misschien is pappa mij al aan het zoeken. Ik wil gevonden worden. Ik wil naar huis.

Plotseling kraakt er iets onder mijn schoenzolen. De weg, het schelpenpad! Nu ben ik er zo. Ik ben zo blij dat ik de weg heb teruggevonden dat ik zo'n beetje begin te hollen. Dan zie ik een stuk van het muisgrijze dak achter een duin vandaan steken.

Bijna struikel ik over het verandatrappetje. Ik grijp me aan de trap van de voordeur vast die meegeeft, vanzelf opengaat, alsof iemand me aan heeft zien komen en nu de deur voor mij opendoet. Ik loop de kamer binnen. Een witgelakte tafel, vier stoelen. Ze zijn er niet. Alleen mijn aktentas staat tegen een poot van de tafel gezakt. Ik buk me, maak de tas open. Een hamer, een schroevedraaier. Ik leg ze voor mij op tafel en staar van het gereedschap naar buiten. Het is alsof de hamer en de schroevedraaier in al hun eenvoud zeggen: je bent alleen, Maarten, alleen. Ik kijk om mij heen. Aan een van de planken muren hangt een familieportret achter glas. Een man in het uniform van een Amerikaanse soldaat, zijn petje vrolijk achter op het kort geknipte haar. Een jonge vrouw met een breed gestifte mond heeft een baby op de arm. Our Lady of Good Voyage. Een meisje met vlechten houdt haar rechterhand vast, de hak van haar ene lakschoentje op de neus van de andere gezet. Ze kijken mij aan met een vrolijk manende blik maar ik herken ze niet. Hoe ben ik hier terechtgekomen? Niet te begrijpen. Net als de tas. Ik pak de schroevedraaier en de hamer en doe ze terug in de tas. Dan hoor ik buiten het geluid van een automotor. Ik sta op, pak de tas en ga naar buiten.

Op de veranda klem ik de tas met beide handen tegen mijn buik. Het geluid komt snel over de heuvels naderbij; diep en grommend en dan opeens hoog gierend wanneer de onzichtbare bestuurder schakelt. Dan zie ik de brede geribde neus van een legergroene jeep boven een van de duintoppen opduiken. Even blijft de jeep ronkend op het duin staan. Dan rolt hij langzaam, brede wielsporen in het zand achterlatend, naar beneden op mij af. De bestuurder draagt een zwartwollen trui en een spijkerbroek. Op zijn hoofd staat een mosgroene pet. Laarzen en zwarte handschoenen. Naast hem zit een bleek jongetje met een felgeel jack. De man stuurt de jeep in een handige boog evenwijdig aan de verandabalustrade.

'Mister Klein,' roept hij twee keer achter elkaar, alsof ik zelf niet weet wie ik ben. Voorzichtig schuifel ik het trappetje af en loop naar de jeep. De man stapt uit, trekt een geruite plaid van de achterbank, slaat hem om mijn schouders en helpt mij dan op de achterbank. Als ik zit beginnen mijn kaken te klapperen.

'Ik was op de vuurtoren aan het werk toen ik u zag lopen, mister Klein. Was u verdwaald? U liep in zulke vreemde kronkels en bochten door de duinen. Ik dacht wat doet die man daar.'

'Van huis weggedwaald kennelijk.' Het klinkt alsof ik het over iemand anders heb. Dan zie ik de tas op mijn schoot. 'Ik was mijn tas vergeten. Ik ging mijn tas ophalen.'

'Mister Klein,' zegt de jongeman met zijn blonde springerige haar dat aan alle kanten onder zijn petje vandaan piekt, 'ik breng u direct naar huis. Linea recta, voor u kou vat zo zonder jas. Wat deed u daar eigenlijk zo in uw eentje?'

'Een wandelingetje. Ik had de hond niet bij me. Vergeten. Vandaar.'

Ook deze woorden horen niet echt bij me. Zo nu en dan kijkt het jongetje mij over zijn schouder met grote angstige ogen aan. Hij geeft geen antwoord als ik vraag hoe hij heet, maar misschien komt dat door het lawaai van de motor, dat hij mij niet hoort. Op de rug van zijn jack is een blauwe pauw geborduurd. Een blauwe pauw met een wijd uitstaande staart vol donkere ogen die mij onafgebroken aanstaren. Ik draai mijn hoofd af, kijk liever het bos in met zijn omgewaaide stammen en afgebroken takken. In de bochten moet ik de tas loslaten en mij aan de ijzeren bovenleuning van de stuurstoel voor mij vastgrijpen.

Als we met de jeep voor mijn huis stoppen komt Vera de veranda oplopen. Zo mager als ze is! De Amerikaan helpt me met uitstappen. Ik houd de plaid stijf omgeslagen want ik heb het nog steeds verschrikkelijk koud.

'Maarten!' Ze pakt mijn hand vast en laat hem dan meteen weer los. Dat moet ze niet doen. Ik wil hem weer pakken, maar ze loopt naar de Amerikaan die bij zijn jeep is blijven staan. Ze schudt hem de hand en ook het jongetje krijgt een hand. Ze praat met de man die afwerend met zijn zwart gehandschoende handen voor zijn borst zwaait en dan weer in zijn jeep springt. Hij zwaait met één hand terwijl hij achteruit rijdt en ik zwaai vanaf de veranda terug, net zo lang tot de jeep tussen de bomen voorbij een bocht van de Field Road uit het zicht is verdwenen.

'Eindelijk,' zeg ik tegen Vera als ze het trappetje opkomt. 'Eindelijk is het zover lieveling.' Ik loop achter haar naar binnen en zet mijn tas onder de kapstok.

'Zo kan het echt niet langer Maarten!'

Ik ga een kamer binnen en neem het interieur in me op. Vreemd toch zoals mensen stoelen, tafels en kasten maar kris kras door elkaar in een ruimte zetten. Ik kan daarom maar niet beslissen waar plaats te nemen. Misschien komt het ook van de kou. Mijn vingers tintelen alsof ik net van het ijs kom.

Vera wil me de plaid afpakken maar ik houd hem stevig aan twee slippen rond mijn nek vast.

'Die heb ik van de Amerikanen gekregen.'

Dan laat ze los.

'Maarten,' zegt ze. 'Wat doe je toch allemaal. Waar zijn in godsnaam je gedachten?'

Waar zijn mijn gedachten. Een komen en een gaan. Geen mens weet waarvandaan en waarheen. Maar één ding is zeker: waar we maanden op gehoopt hadden is dan toch gebeurd.

'Goddank dat ze eindelijk gekomen zijn. Vijf jaar hebben we op ze moeten wachten. Het is nog koud buiten maar langzaam wordt het warmer. Ik mocht voor in de jeep zitten.'

'Waar heb je 't over, Maarten?'

'Dat we bevrijd zijn, Vera. Besef je dat dan niet?'

Ze is minder blij dan ik, maar zo is ze altijd geweest. Ze was nooit zo uitbundig in het tonen van haar emoties. Je moet haar altijd een beetje aanmoedigen. Daarom sla ik mijn ene arm om haar middel.

'Kom, laten we een bevrijdingsdansje maken.'

Ze doet een paar onhandige passen met me mee en wringt zich dan los.

'Nu kan oom Karel zijn knevels tenminste weer laten staan.' Ik grinnik. Heerlijk warm heb ik het nu. Ik leg de plaid over een stoel en stop mijn handen in mijn zakken.

Vera komt met een glas uit de keuken. 'Hier, drink op.' In één teug sla ik het drankje naar binnen. Warm en soezerig word ik ervan. Ik ga op de bank zitten en kijk in de richting van een geluid. Een groene Chevrolet komt de inrit op, gevolgd door een grote witte Ford. We krijgen bezoek, net nu ik zo moe begin te worden dat het ook hier voor me in de kamer lijkt te sneeuwen. Even mijn ogen dicht. Even maar.

Alweer een Amerikaan. Ik schud hem hartelijk de hand. Eardly heet hij. Dokter Eardly zelfs. Een officier dus, al is hij nu in burger.

'Ik heb net een ritje in een van jullie jeeps gemaakt,' zeg ik in vloeiend Engels. Dat gaat mij goed af. Fijn is dat. Opnieuw grijp ik zijn hand. Ik krijg tranen in mijn ogen.

'Als u eens wist hoe lang we op jullie hebben gewacht.'

'U bent een beetje ondeugend geweest,' zegt de Amerikaan. 'Zomaar zonder jas naar buiten gaan, dat is levensgevaarlijk op uw leeftijd.'

Kom, kom, zo oud ben ik nu ook weer niet. Vera staat naast hem. Wat is ze klein en tenger vergeleken met die man. Er zijn maanden geweest dat ik bang was dat ze ziek zou worden, zo slecht zag ze eruit. Bij de minste inspanning moest ze op een stoel gaan zitten. Ik dacht dat ze het aan haar longen had, maar het was gewoon ondervoeding. Maar nu krijgen we gauw weer volop te eten.

'Het is overal even koud,' leg ik hem uit. 'De enige plaats waar je het nog een beetje warm kan krijgen is in bed.'

Opeens staat er ook een blond meisje in de kamer. Ze heeft een felrode trui aan. Ze ziet er niet uit of ze bij het leger werkt. Maar misschien heb je bij de Amerikanen vrouwelijke soldaten in burger, secretaresses wellicht. Ze brengt mij naar een andere kamer en zegt dat ik op dat bed daar moet gaan zitten. Meer een verpleegster dus.

'Ik ben inderdaad vermoeid,' mompel ik terwijl ik voel hoe ze mijn schoenen uittrekt. 'Het zullen de emoties zijn.'

Ze zegt niks terug en begint mij verder uit te kleden. Dat hoeft nou ook weer niet. Maar ze gaat gewoon door. Ze is sterk en buigt mijn armen naar achteren om het overhemd van mijn armen te stropen. Ergens opzij gaat een deur open. Een man met een vierkant gezicht en kort geknipt haar komt met een injectiespuit in zijn hand binnen. Ik probeer van het bed te komen, maar die blonde houdt mij vast terwijl ik de naald in mijn arm voel schieten.

'Ik wil leven! Ik wil leven!!'

'Niet vastbinden,' hoor ik een mannenstem zeggen. 'Vastbinden is niet nodig.'

Dan begrijp ik het allemaal opeens. 'Jullie hebben de verkeerde voor. Ik was niet fout. Ik was geen held misschien, maar fout was ik niet. Ik heb geen onderduikers in huis gehad, dat is waar. Ik wou wel maar ik kwam ze nooit tegen. Of ik herkende ze niet op tijd. Of het was te laat, voorbij en ik begreep niet hoe erg hij eraan toe was. Zo lang erna nog.

Hij was dronken. Hij zong liedjes. Ik had geen idee. Als ik geweten had dat hij de volgende dag... misschien was hij nog wel dronken toen hij het deed.'

Dan komt Vera binnen. Godzijdank.

'Zij kan getuigen. Ik heb nooit iets verkeerds gedaan. Waar of niet, Vera. Zelfs die keer in Parijs. Dat was ik niet. Dat was ik eigenlijk niet.'

Ze knikt geruststellend maar ze zegt niets. Ze huilt en komt dan op de rand van het bed zitten. Waarom huilt ze toch? Zou ik me vergissen en is de oorlog pas begonnen. Zijn we bezet in plaats van bevrijd? Begint alles dan weer opnieuw?

'Is de oorlog weer begonnen?'

'Ga nu maar slapen, Maarten,' zegt ze schor. 'Niemand zal je kwaad doen.'

'Is het geen oorlog?'

'Het is vrede.'

Maar waarom huilt ze dan? Gelukkig dat zij er is. Zij is de enige die ik nog vertrouw. 'Je mag nooit meer weggaan,' fluister ik en ik pak haar hand vast. 'Hoor je, Vera, nooit meer.'

Koppijn, koppijn en dorst. Beweeg deze lippen, komen er misschien weer woorden in dit hoofd.

Doe het licht aan! (Goeie jongen.)

Wat was hiervoor? Of ik uit een wak opduik. En zo warm. Moet er even uit. (Ga eruit dan!) Lag er vroeger niet iemand naast je?

Voetje voor voetje. Gelukkig brandt er licht op deze gang. Houten vloeren, rechte planken, naden die je beter kunt mijden. Oppassen voor splinters. Trek je knieën op, flink hoog!

Achter in dit hoofd gonst iets. Dit lichaam drukt me eruit. Als een drol word ik uit mijzelf geperst. Met woorden kan ik dit denken maar ze dekken deze gebeurtenis niet. Ondertussen gebeurt het, buiten mij om. (Weer zo'n gebrekkige term.)

Licht zit meestal rechts van de deur. Hier ook. Dag hond. Wuiven, niet praten.

Het bonkt ergens in mijn hoofd. (Of is het dit huis dat dat geluid maakt?) Voorzichtig schuif ik het gordijn opzij, doe een paar passen naar achteren. In het zwarte glas hangt een kamer, een piano, een bureau. Een oude man in pyjama kijkt mij aan, imiteert een levende met zijn holle zwarte ogen en zijn lange witte magere handen die hij nu afwerend, de palmen naar buiten gekeerd, tot borsthoogte heft. Snel de gordijnen sluiten!

God nog an toe. Buiten zweeft een man boven de sneeuw! Een man, een piano, een bureau, een hele kamer zweeft daarbuiten in de nacht boven de sneeuw.

Steek de vloer over naar die tafel daarginds!

Dag hond. Likt mijn hand met zijn ruwe tong. 'We moeten wachten tot het licht wordt buiten.' (Dan kunnen we onze positie bepalen en de noodzakelijke tegenmaatregelen treffen.)

Een boek met een gewatteerd omslag, soort langwerpig album. (Neem de kaft tussen duim en wijsvinger, sla open!)

Allemaal foto's, zwarte en gekleurde. En daar is die man in de sneeuw weer, maar nu jonger. De haat in die ogen, daarbuiten in de sneeuw. Zo heeft iemand mij nog nooit aangekeken. Hij moet weg. Al zijn afbeeldingen moeten weg. Daarginds is een open haard. Houtblokken liggen ernaast, opgestapeld in een aardappelkist. Een doosje lucifers ligt op de schouw. (Dat wist ik op de een of andere manier; misschien een geval van déjà-vu.)

Eerst de foto voorzichtig van de bladzij losscheuren en aansteken en dan tussen de spaanders leggen. Kleine bibberende geelblauwe vlammetjes die om het voorste blok heen kruipen. Mannen rond een glimmende vergadertafel. Helblauwe vlammetjes aan de gekartelde randen van de foto waar blaasjes opborrelen die knappen en dan chocoladebruin wordend snel naar het midden kruipen tot de hele vergaderzaal verdwenen is.

Plaatjes van mensen in een park, mensen op een strand, diezelfde man weer, op het dek van een boot naast een vrouw die hier alleen op een rots staat, lachend, met loswaaiende haren. Een kind in een box. Een jongen en een meisje hand in hand poserend voor een knalrode schommel.

Laat ze verdwijnen, laat ze zwart worden en verdwijnen, wegvliegen als donkere roetvlokken de schoorsteen door naar buiten, zwarte spikkels worden in de sneeuw op het dak. Ik neurie zachtjes. De hond hier naast me vindt het ook wel leuk. Ligt tenminste met zijn kop tussen zijn voorpoten naast mij en kijkt naar mijn handen die foto's lospeuteren uit het album en ze dan één voor één in het knapperende en rokende vuur laten vallen.

Twee vrouwen, twee vrouwen in ruisende kledij, een jonge en een oudere. Ze spreken Engels en trekken een boek met foto's uit mijn handen. (Kan maar beter doen wat zij willen, ben niet sterk meer, zoals vroeger, ernstig verzwakt zelfs blijkt nu.)

Sta op. Begint het bonzen weer. Duizelig. En dorst. Wil niet tussen hen in naar buiten. (Willen ze me eruit zetten omdat ik te lastig word?) 'Niet naar die man in de sneeuw!'

Weer een andere kamer. Hoeveel kamers zijn er wel niet om mij heen? Ik word gekanteld. Ze binden me vast. Ongetwijfeld uit voorzorg. Alles is hier in beweging. Het lijkt wel een schip. Een wonder dat die twee daar op de been blijven. Ze zeggen niets. Harde gesloten vrouwengezichten onder kunstlicht. Vastberaden, overgeconcentreerd zijn ze bezig. Iedere rimpel en plooi verstart in dit onbarmhartige licht. Het is doodstil, op dat bonken na dat vlak achter mijn ogen zit nu.

'Iets nats op mijn hoofd graag.'

Krijg het meteen. Koelte die door mijn schedeldak naar binnen trekt. Water loopt in mijn mond. Ik sabbel het gulzig op.

Ben alleen nu. Zo stil dat het is. Waar is de wereld gebleven? Zachtjes met dit hoofd schudden. Alles eruit schudden. (Misschien wordt men dan weer wie men eens was?) Door een kier in de gordijnen, daar ergens, verschijnt een reepje aarzelend licht. Meen te voelen dat dit lichaam lichter geworden is. (Atmosferische veranderingen? Verdwenen gedachten? Lente in aantocht misschien?)

Geen weg terug, geen weg vooruit. Vul steeds meer deze ruimte. (Daarom ademen zoveel mogelijk beperken om niet nog verder uit te dijen in de leegte om me heen.)

Er ligt een lap, hier boven mijn ogen ergens, maar ik kan er niet bij. Lig vast. Misschien ben ik niet groot, maar juist klein, ben ik het gevoel voor mijn eigen proporties kwijt. Weet niet. Hebben ze me daarom vastgebonden, bang dat ik uit bed zal vallen met dit enorme hoofd?

Zachtjes schudden, geen woorden, alleen maar geneurie, melodietjes vlak boven de grond scherend, zoemend als bijen, hommels boven het gras. Zoemen tegen bonken. Stil en toch in beweging. Steeds minder lichaam, soortelijk gewicht. En vol zwaar water dat zich daar ergens beneden in een warme stroom een weg naar buiten zoekt.

Niet doen... niet doen... niet losmaken. (Ben zo licht geworden als lucht.) Niet doen. (Gebeurt dan toch.)

Grijp me vast, veel scherps dat pijn aan mijn handen doet.

Tussen die benen schrijnt het als er gelopen wordt, meer zeulen is het, naar een betegelde ruimte die vol stoom staat. Zie geen hand voor ogen.

Zo is het beter, warm water en niets te zien. Achter de stoom worden vragen gesteld. Kan nog horen dat het om vragen gaat en knik. Knikken... knikken maar. Het komt door.

'Water goed?'

Jaja, water goed, knikken we. Laat me zinken. Net als hij.

Armen die mij onder mijn oksels opkrikken. Omhoog moeten we. Oppassen, ik ben zo licht geworden plotseling.

'Veel kleren!'

Krijg alleen een badjas omgegord.

Deuren door. Hoeveel? En al die richtingen, het is om van te duizelen.

'Op naar het noorden!' Mijn stem klinkt nog vastomlijnd, nog wel, maar wel veel zwakker. (Slijtage?)

Vera's hand. (Dat is haar hand toch?) Je blik er niet vanaf houden nu, volgen nu, tot een groot plat stuk hout in zicht komt, een glad glimmend vlak, waarvoor je dubbel geknakt, in zittende houding wordt neergeplant. Houd je vast aan hout, aan deze dikke houten rand. Anders ga je omhoog of kapseis je.

Het zit nu ook in de woorden zelf. Lichte zinnen komen het eerst, schieten als kurken naar boven, bedoeld of onbedoeld, de betere zinnen zijn te lang en te zwaar, die blijven ergens onder mijn tong dobberen.

Dit is eten. Kan zelf wel eten, heus hoor, ben geen klein baby'tje meer. Veel... veel eten. Geen tijd voor bestek dat uit het zicht in de diepte onder mij wegklettert. Moet snel met de hand naar binnen gepropt. (Voor ze alles weer weghalen, me gaan oppoetsen, met een ruwe lap mijn wangen afwrijven.)

Licht holt uit. Een mens zit ook zo vol gaten. Een mens zou geslotener moeten zijn. Op den duur kan men niets meer binnenhouden.

Lekker glad hout om over te wrijven. Beweging die leegloop tegenhoudt. Beter ook niet zoveel opzij kijken. Recht vooruit met die blik!

Geroep dat het weer sneeuwt. Je rug ernaartoe. Geen enkele warreling meer toestaan.

Word opnieuw verplaatst. (Vraag: 'of men zelf kan lopen'.) Wel gekund, maar nu toch even te gevaarlijk.
Zwaar gehang op die arm van mohair. Losgelaten. Val. Een tuimeling in een harde stoel. Hout aan weerskanten. Houten latten om mijn lichaam heen. Grijp vast die dingen, tegen de jagende vlokken daarbuiten waar ik nu wel naar kijken moet. Een dik pak sneeuw op het blauwe dak van Vera's Datsun. (Dat was nu weer even zo'n ouderwetse goede zware woordenzin.)

Volhouden, het juiste midden vinden tussen het stijgen en zinken in jezelf. Stollen rond een middelpunt; in een zwaartepunt liever.

Vraag: 'Hoe men zich voelt?'
Vraag die beantwoord kan worden. Even wachten. Wuif even met die handen daar. Zo. Heel even maar. Snel weer dat hout vastgegrepen. Even wachten. 'Te weinig zwaartekracht!'

Wind die in de vlokken tekent en woelt; striemen en strepen over het glas van de ramen trekt. Steeds dieper valt de winter (en steeds minder dat men er zelf tegenover kan stellen). Aan de vlokken te zien komt de wind nu van alle kanten.

Eén ding: niet gaan slapen nu. Niet in slaap vallen. Wil wel graag. Toch niet doen. Hoofd rechtop houden! Houding tonen! Weerbaarheid! (Vooroorlogs woord, uit pappa's leven overgewaaid naar hier, naar dit hoofd dat veel te groot is geworden om nog verder in te leven.)

Hiernaast me een meisje met een pluizige zachtblauwe trui. Ze kijkt naar de sneeuw. Ze stift haar lippen. Ze houdt een klein spiegeltje voor haar gezicht. (De handelingen bezitten een vage echo van samenhang.) Zo hard wordt er plotseling in mij gelachen dat alles begint te schudden om me heen en een hand weg van de leuning schiet met vlugge grijp-grage vingers in de richting van een blikkerend spiegeltje. Ik kijk erin. Weg met dat ding! Iemand pakt het uit mijn schoot en legt een hand boven op dat almaar zwellende hoofd. Natuurlijk heeft hij of zij dat ook in de gaten. Een waterhoofd is het. (Voel je hoe licht je bent geworden? Straks stijg je naar de oppervlakte.)

Men wordt weggedrukt. Ze hebben een ander binnengehaald. Dat heb ik zelf net in een spiegel kunnen constateren. Men moet tegendruk ontwikkelen. (Maar hoe kan tegendruk ontstaan vanuit een luchtledig centrum?) Ergens moet nog energie voorhanden zijn, ergens in Maarten Klein moet toch nog een Maarten Klein zitten, is het niet?

Een kwast in hout, een vlek op de vloer, die geven geen duur, alleen maar toestand. (Er zit verdomme nergens meer verhaal in hier.)

Woorden, dat is wat energie geeft, is energie zelf. Een mens hoort van woorden te zijn. Totaal. Zo voor de hand ligt dat. (Eindelijk weer eens iets van waarde, toevoer van woorden moet er komen, dat is wat de situatie redden kan, verhalen, aanvoer, import van verhalen.)

'Voorlezen!'

Er ontstaat beweging in de kamer. (Zie je wel, als je de juiste woorden gebruikt gebeurt er altijd iets.) Een jonge vrouw met lang blond haar verdwijnt door een open deur. Zie nog net haar rug wegschieten. Andere vrouw komt met haar voorkant naar voren ervoor in de plaats. Aangename zachte oude stem heeft ze, een beetje hakkelend.

'Voorlezen!'

Volg haar in de ruimte rondom deze stoel. Zie dat er een boek van een tafel wordt gepakt. Boek. Woorden. Ik steek mijn handen er begerig naar uit. Ik koester en streel het boek. Een man in een regenjas met een hoed op. Hij kijkt omhoog naar een heuvel met palmen waarop een uitbundig verlicht hotel staat. De titel is mij onbekend, de woorden ook. Ik geef het terug aan die bewuste mevrouw daar.

Engels hoor ik nu, de Engelse taal. Misschien is het zo nog beter. Alleen maar klanken, klanken en ritme. Koel, helder, ondoorgrondelijk.

Een oude vrouwenstem die bibberend en dun stijgt en daalt, soms op het ritme van de vlokken voor het raam tot een nieuwe windstoot het evenwicht tussen de vlokken en de stem weer verstoort. De stem brengt beweging dichterbij, voortgang van zin naar zin. Ik hoor namen terugkeren en dat grappige spel van dalen en stijgen, van vraag en van antwoord. Dan houdt het op. Weg is die stem en alles verstart.

Ben weer alleen in de ruimte. Knijp met deze vingers in de houten armleuningen. Op een hand (niet deze maar die daar) zit een roofje. (Peuter het eens los.)

Een oudere vrouw, het bruine haar met een haarspeld opgestoken, gekleed in een zwarte hoog gesloten jurk. (Ze is zo volledig als je je het beeld van een mens maar wensen kan.) Ze gaat voor me op een stoel zitten en zegt dat dat gepeuter op moet houden, dat dat niet hoort, zegt ze.

'Anders raakt men weg.'

Een klein rond druppeltje bloed op de rug van deze, nee, van die hand. Wrijf het uit tot een zo groot mogelijke vlek. Flink knijpen. Nog eens. Daar komt weer een druppel.

'Ziet u. Zolang er bloed vloeit is er nog hoop.'

Dat schijnt ze te begrijpen. Ze knikt met een glimlach om haar lippen die getuit plotseling snel naderen. Bah! Draai direct mijn hoofd af, wrijf over die vochtige plek op mijn wang. (Als er ook nog aan je gesabbeld wordt, is het einde helemaal zoek.)

Vlokken. Meervoud. Er is alleen maar meervoud in de wereld, vermenigvuldiging, hij dijt steeds verder uit. (Snap die demonstratie daarbuiten best maar men wil er niet aan, men doet niet mee, men moet zich niet laten meesleuren in die gezichtsloze warreling daarbuiten.) Sluit je ogen! Maar het blijft sneeuwen. Het sneeuwt zelfs binnen in mij. Nergens meer verweer.

Een huisbel. Iemand die van buiten naar binnen wil. Zoveel is zeker, dat betekent dat geluid. Iemand wil naar binnen. Hij of zij belt aan. Men doet open.

Er staat een lange witte auto voor de veranda. Ik hoor stemmen, mannenstemmen en rondstampende schoenen.

Allemaal staan ze er, uit het niets, plotseling, zomaar, huizenhoog, een kring mensen om mij heen. Mannen in witte jasjes met een rood embleem op de borstzak. Ik wil mij vastklemmen aan mijn stoel maar nergens voel ik nog kracht. Kijk toe hoe ze oude vingers een voor een loswrikken van stoelleuningen.

Word opgetild, geschoven in een bed met riemen, vastgesjord, opgetild, hang ik schuin in de kamer. (Mannen, houd goed vast, jullie hebben geen idee hoe licht jullie last is.)

Meubels, piano, een heel interieur, een hele kamer wankelt en kantelt aan mij voorbij. Vera staat bij de deur. 'Vera!' Ik wil overeind komen, scheef hangend mijn armen naar haar uitstrekken. 'Vera!' Lig vast, geboeid. Ze dragen me de deur door en ik roep haar, 'Vera!', maar ik zie haar niet meer en weer word ik door een deur gekanteld en lig te huilen in de sneeuw, vlokken die op mijn lippen landen, op mijn wangen en nog een keer zie ik haar, achter een raam kijkt ze op de thermometer en dan sluiten de witte deuren van de ziekenwagen zich en begint het rijden in deze schommelende auto die ook een schip is Vera en ook een sneeuwvlok waarin ik vastgebonden lig en die langs boomtoppen scheert waar de andere sneeuwvlokken met ons meejagen, ons begeleiden als vallende sterren en zo vallen wij door de ruimte Vera en schitteren even nog wat na (of zijn wij eigenlijk al dood) tot we doven of verbranden, witte vlokken worden, of zwarte spikkels, wat is het verschil.

Sprake van vergissing of verwisseling? ...een kale hoge ruimte met cementen bloembakken vol pikzwarte aarde... geen bloemen wel afgetrapte keukenstoelen... mannen en vrouwen in muisgrijze overalls... soms in de verte, soms angstwekkend dichtbij.

deportatie?... er wordt hier alleen maar Engels gesproken...
door grote ramen: een uitzicht op een hoge bakstenen muur
vol opstaande groene glasscherven... zo zijn deze mensen
aan het gezicht van de wereld onttrokken... wat gebeurt er
met hen?... de bewakers zijn in het wit gekleed met donkerblauwe dassen, zowel mannen als vrouwen... hebben kennelijk de opdracht om niet te luisteren... ik kom uit Nederland,
als enige hier... gebraak – lang en klaaglijk – alsof die mens
zelfs daartoe de kracht nauwelijks meer op kan brengen...
weer iemand die zichzelf uitkotst.

Op de ondergesneeuwde binnenplaats staat een berk, spich-
tige takken lopen uit in roerloze fijne twijgjes, donkere vlek-
jes op de dunne kronkelende stam, een

BERK

dat woord heeft hij nog en daarom zie ik je nog geliefde...

Gezichten van dit soort mensen zien spierwit en vertonen
niets... maskers in een museum... wellicht gaat het hier om
een tentoonstelling, een wedstrijd in stilzitten?

Harde schoolbel, verscheidene malen achtereen... gebabbel breekt van alle kanten los... een stem huilt zachtjes...
een andere stem die daardoorheen steeds hetzelfde wijsje
neuriet... het lijkt spontaan maar het is mechanisch.

Een berk midden in de sneeuw... kon ik maar zijn waar die
berk is...

YOU'RE MISTER KLEIN?

de berk in de sneeuw... die kan mij ook niet helpen... ik
word weggeleid... wuif nog een laatste maal... zal haar nooit
meer terugzien.

Een witte gang met halverwege de muur een groene streep...
zeer langzaam, plechtig geloop aan één arm vastgehouden
(en door de streep op de muur).

Helemaal los in de ruimte... meisje met roodbruin krullend
haar vlakbij nu... de zon glanst in de randhaartjes van haar
kapsel... ruimte... meteen zakken... grond voelen... ze begrijpen niet waarom een mens die zo leeg is wel moet gaan liggen hier... ze begrijpen niets van wat ik zeg... op het idee
van een tolk komen ze niet... ik ben van mijn eigen taal nog
de enige overlevende.

Mensen zitten in lange rijen op banken en houten schra-
gen... vrouwen en mannen... verdoofd lijkt wel zoals ze daar
voor zich uit zitten te staren naar de witgesausde muur.

Geur van papier, karton, lijm, hout... goede geuren dus... die
mensen die daar voorover hangen slapen die?... boven in het
plafond zit muziek die traag naar beneden druppelt... tafels
vol gekleurde stroken papier, lijmpotten, kwasten... feest-
hoedje op zijn kant gerold... rood met een groene pompoen
op de punt.

Benauwd hoor... frissere atmosferische plek zou gewenst
zijn... mijn voetstappen op de vloer kunnen niet meer ge-
voeld worden... zolen te dik, grond te zacht, wie of wat zal
het zeggen?... gevoel wordt niet meer doorgegeven... blijft
ergens halverwege hangen... tegendruk... zachte dwang...
zitten.

WE'RE GOING TO MAKE A DRAWING TODAY. A SELF-
PORTRAIT. WOULD YOU LIKE TO DO IT IN PENCIL OR
WOULD YOU RATHER USE PAINT, MISTER KLEIN?

Een vrouwenstem wegebbend in een vraagteken... parfum verplaatst zich... de lucht is bijna te ijl voor geuren geworden... een hand met een schaar erin knipt traag in de lucht

LET'S GIVE IT A TRY

Bloemengeur... narcissen... dus toch lente... zonder dat hij het gemerkt heeft.

HERE YOU ARE!

Een groot wit vel papier... een hand... een vrouwenhand... een vrouwenhand met een houten doos erin... een doos met vakjes, opstaande schotjes... een geur stijgt eruit op, dwars door de narcissen heen... twee geuren die om mij heen zweven... dooreenvloeien... bloemen en grafiet... samen een naam... liefste en zwaarste woord van mijn leven... stijgt uit de onderste diepte als een luchtbel omhoog... ontsnapt en spat luid schallend in de ruimte uiteen... ik sla mijn hand voor mijn mond en bijt in mijn vingers.

THAT'S O.K. DRAW VERA'S PORTRAIT. THAT'S JUST FINE, THAT'S O.K. FOR US.

Hier uit... weet niet van welke kant de wereld op mij aankomt... er moet toch een richting zijn?... iedere ruimte heeft toch een ingang en een uitgang?

Handen... voeten... geschraap van afgetrapte stoelpoten over beton... willen dat ene mister Klein 'Vera' zegt, zeg het, VeraVeraVeraVeraVeraVera, tot ik het hoor... hoor hoe mijn stem wegdobbert... weg is weg.

Veel zingen en neuriën uit alle hoeken en gaten... gezichten: fijngetrapt... uitgerekt... opgeblazen... verschilferd (en dan nog zo wat van die woorden).

Lichtjes golvend... de hele binnenkant dreigt nu naar buiten te komen... eens had Einstein gelijk maar hij vergat deze plek... hier heeft het licht geen snelheid meer... niets om me in te vermeien.

Wil die pislucht daar inrukken?

Met lampen schijnen ze naar binnen... zeker om te kijken wat daar nog ligt... wat er nog van over is gebleven in mijn ogen... wat misschien nog een beetje beweegt... alles willen ze hebben... het onderste uit de kan... zo wordt hij hier langzaam leeggeschept, die Maarten van vroeger.

Lichtstraal vol dansende stofvlekjes... andermaal het bewijs dat het licht zelf stilstaat... misschien is dit wel de ontdekking van je leven... het doel.

Zo gauw gezang, geschreeuw, gebabbel losbreekt wordt het licht dikker... ieder mens hoopt voor donker thuis te zijn.

Van achteren een stok die in mijn rug port... meteen zonder om te kijken een ram naar achteren verkopen... geloei!... op je knieën jij!... kniel!

Handen en voeten moet het hebben... ogen open en dicht: zelfde ruimte... ogen open en dicht en weer open: zelfde ruimte.

Dikke vetlucht wordt geboren of binnengedragen... hangt overal te zweten... de deuren worden expres dichtgehouden met rinkelende sleutels... overal schijnt muziek bij te moeten hier... dit ter imitatie van de tijd als je het hem vraagt... hiertegen vormen scheten de enige remedie... opperste afkeuring... een geluid dat gewoonlijk met grote vrolijkheid gepaard gaat... maar voor vrolijkheid heeft men een hoofd nodig en dat heeft niemand meer hier.

Ze komen voorbij... ze zijn onderweg... sta stil... mag niet... veranderingen zijn kennelijk niet langer toegestaan... zitten met een groot hoofd dat uit pure leegte naar voren knalt... hard opgevangen door een tafelrand... en maar schateren.

Kijk, humor is dit niet... humor is als iemand uitglijdt over een bananeschil... komisch is iemand die een bananeschil ziet liggen en er in een wijde boog omheen loopt en zo in de baan van een vallende baksteen terechtkomt... dikke bult... hoofd dat kennelijk zo opvalt hier dat men er steeds weer aan komt zeuren... vooral vrouwen of wat daar nog voor door moet gaan... weg jullie heksen!

Steeds maar weer menselijke wezens die hij van zijn lijf moet houden... iemand zingt... heel schitterend hoor maar achter een pilaar verborgen... waarom ook niet... waarom ook niet aan alles toegeven: dat er stemmen zijn zonder lichamen.

Er wordt op gelet dat de mensen hier steeds alles van zichzelf meenemen wanneer ze verder worden gezeuld.

Handen en voeten zitten er nog wel aan bij hem maar nauwelijks nog bestuurd... lepel... vork... weet nog wel zo'n beetje wat dat met eten en zo van doen heeft... het sturen wordt ernstig bemoeilijkt... overal ligt dampend eten in het rond... een bord... glad en rond is de rand voor mijn vingers... dingen worden steeds weer afgepakt om te beletten dat men hier aardt... volstrekte desoriëntatie, dat is het doel... willen bewust niet begrijpen dat dit bord een sokkel is, een anker voor zijn vingers.

Versta niemand... alleen nog de eigen woorden... zijn eigen taal van binnen... zijn ouders spraken allebei Nederlands... ze zijn nu beiden overleden... iedereen die hij kent lijkt dood... weet je... jij midden in deze kudde verdwaald... jij bent nog het enige lichtpuntje.

Smikkelen... naast... opzij... tegenover... weten niet eens waarom ze te vreten krijgen die stomme varkens... namelijk om nog enige zwaarte te houden... daarom ook dat kabaal als er opeens een gaat zitten poepen... begrijp dat best van die bewakers en bewaaksters... a: het is smerig... b: ze zouden zo op het eerste zuchtje toch wegwapperen.

Te ver van de muur verwijderd... wat niet goed is... een lichaam dat zichzelf niet meer voort kan duwen wordt een boom... zoals die dunne daar in de sneeuw... de muur... naar de muur... op de muur... over de muur... dat is wat hij bedoelt wanneer hij denkt: alleen in taal kan ik nog iets ondernemen.

Wel handen maar eenmaal uit het blikveld knappen ze af... vallen ze weg... eenmaal uit het gezicht voelt hij ze ook niet meer... loodzwaar ben ik... loodzwaar van niks.

In het leven terug?... maar waar is zo iets gebleven?... is er wel zo iets?... of was gewoon alles inbeelding van het hoofd?... hersenschimmen?

Knijpen veroorzaakt tenminste nog lichte pijn... een gebeurtenis... choken maar waar is de motor gebleven... allemaal beeldspraak jongen... niets dan beeldspraak.

Het hoofd rolt nu helemaal vanzelf zonder enige besturing los op de romp rond... moet zien te krimpen... in ieder geval moet er niet meer gegeten worden door deze jongen hier.

Schuiven met die voeten daar beneden... wrijven met die handen daar verderop... helpen om dit mensje daartussen fijn te wrijven... zijn verdwijning in... dat doen zij al deze mensen hier aan.

Geen zin in welk ding dan ook, geen zin... het grijpen... vastpakken... loslaten doet de hand nu geheel zelfstandig als een machine waar hij naar kijkt.

Gedoofde mannenkop... kwijl dat in de kraag van zijn over-all loopt... rose lippen die open en dicht gaan als van een vis... trommelt wat afwezig met zijn vingers op zijn gulp... ben ik ook zo?

De tuinmuur is goed... een muur imiteren, dat doen de meesten hier en gelijk hebben ze ook nog... en sommigen hebben er waarachtig veel talent voor.

Geluiden blijven niet constant of heeft het hoofd zo nu en dan zijn gehoor zachter gezet?

Een gekkenhuis?... denken: niet gek zegt niets... een mens kan zelf niet controleren of hij gek is of niet.

Heel in de verte klinkt geweervuur... schoten... mooie boel is dat, nog oorlog ook... komt er dan nooit een eind aan?... van binnen bezet... mijn bevrijders hebben mij bezet, dat is het... steeds meer gecensureerd... er komt zowat niets meer door.

Ziek... doodziek... maar weet niet meer of de ziekte nu bin-nen of buiten deze huid hier zit... op de grens is het windstil... een dun doorzichtig punt in de ruimte is hij geworden.

Thee in metalen mokken... handen warmen... lauw wordt nooit heet... heet wel lauw... kan dit vooruitgang worden genoemd terwijl het in wezen om achteruitgang gaat... naar een toestand waarin alles tenslotte dezelfde temperatuur heeft... thee wordt uit zichzelf nooit kouder dan zijn omgeving... zo is dat... de statische toestand van thee waaraan roeren niet meer helpt... loslaten maar die mok want die handen daarginds... die stijve vingers... dienen toch nergens meer voor... integendeel... ze bevriezen alles wat ze aanraken.

MISTER BRACKEEN! HOW DELIGHTFUL TO SEE YOU! Ach mens... zielig hoor.

Dit is de goede hoek... eindelijk... weinig menselijk verkeer... een enkele dwaalt er per ongeluk nog wel eens deze kant op en wordt onmiddellijk weggeblaft... die daar een metronoom... links... rechts... bij iedere overslag klakt hij met zijn tong... maatvast zwenkt hij heen en weer op zijn stoel als de slinger van een uurwerk... men kan hier natuurlijk om gaan zitten lachen maar daarvoor is het te begrijpelijk (verticaal wil horizontaal worden... maar je zinkt hier alleen nog maar jongen).

Nog luidere muziek... twee die met elkaar gaan dansen... buigend op kousevoeten dansen ze om elkaar heen... heel voorzichtig houden ze elkaar bij de hand... straks breken hun vingers af.

Een vrouw zakt tegen een muur naar beneden... langzaam als stroop langs de muur omlaag... ze klapt en ze huilt... stromen tranen terwijl ze hard... keihard lacht en een stroom tranen over haar wangen en steeds harder klapt ze in haar handen en dan

OPEENS

als op een teken

VERSTEENTZE

met een paars gezicht dat langzaam asgrauw wordt... die kunnen ze wegdragen denkt hij en dat is ook precies wat er gebeurt.

Slaperig geloop... geschuifel... zijn schoenen zijn weg... daarom heeft hij ook geen gevoel in zijn voeten meer... ademhaling zit in het hoofd... is erin geslagen... een ruisen dat aan en af ebt.

Kan dat ze hem ergens gevonden hebben... een vreemd land en zijn paspoort verloren of zijn geheugen of allebei... geen papieren... dat ze dat aan het uitzoeken zijn... wie hij is en hoe hij heet en waar hij vandaan komt... alleen: het interesseert mij niet meer en dan houden ze natuurlijk ook op met hun naspeuringen en laten ze mij hier voorgoed zitten als eeuwige anonymus.

Ogen lopen vol prikkend water... verzilting?... wangen zijn al helemaal aangekoekt van het zout.

Iedereen is hier gebracht om met behulp van medicijnen leeg te lopen... de afdeling verloren voorwerpen is al zo overvol dat alles wat op de grond belandt meteen in gereedstaande vuilnisbakken wordt gedeponeerd... dit geldt niet voor dit persoontje hier dat reeds bij de ingang alles heeft ingeleverd wat hij nog bezat.

Vanuit een ooghoek: een mens die zijn laatste restje haar uittrekt omdat hem zelfs dat nog te veel is... beetje porren... beetje in deze zakken rondrommelen om niet te veel te hoeven zien.

Licht flikkert uit buizen van bovenaf op mij neer... licht dat alle holten wil binnendringen... dichtknijpen... dichthouden... op slot doen... hij trekt voorgoed de deur achter zich dicht en tegelijk sluiten zich lange witte slepende gordijnen voor het uitzicht op de muur... het iele boompje in de sneeuw.

Doodstil zitten en toch het vermoeden onderdeel uit te maken van een grotere beweging... niet waarneembaar... een mossel onder de kiel van een varend schip.

Om je heen worden de laatste resten menselijkheid uitgespeeld... een grijns op een stoppelig mannensmoel keert om de seconde terug... hij moet niet langer naar dit menselijk uurwerk kijken... beter om nog maar wat rond te lopen maar ze hebben zijn benen verzwaard... voor je eigen bestwil... we wegen hier niets meer.

Een vrouw die aan een tafeltje met een begonia erop koffie zit te malen... ze heeft geen molen tot haar beschikking maar haar bewegingen zijn zo levensecht dat je de geur van koffie kunt ruiken... er wordt hier alleen nog maar geïmiteerd... men klampt zich vast aan zijn laatste herinnerde resten... maar waarom er zoveel naar elkaar (naar elkaar?) zitten te wuiven is mij een raadsel... doe niet mee aan dit spel van valse identiteiten... dan moet je toch wel heel ver zijn gezonken of afgedwaald dat men iedere willekeurige vreemde tot vriend bombardeert om hier maar niet zo alleen te hoeven zijn,

YOU'RE THE NEW ONE?

voor zover je hier nog van nieuw kunt spreken... o, gaan we naar de kantine... wist niet dat die hier was.

Grote kleurenfoto's hangen er in houten lijsten... een strand met een woeste branding... palmbomen met een rijtje kano's eronder... New York bij nacht... wordt aan een van die formica tafeltjes gezet... ze hebben hier flink wat kantinepersoneel... de koffie laat dan ook niet lang op zich wachten.

Iedereen krijgt pillen in een rond wit plastic bekertje... de koffiejuffrouw tuurt lang op een lijst.

I'M THE NEW ONE

dat had je niet moeten zeggen... een vrouw met een griezelig dunne hals en een kinderbolerootje aan gemaakt van restjes wol wil nu wel weten hoe je heet... hij schudt zijn hoofd maar het wijf blijft aandringen met haar hoge schelle stem... een kale heer met een scheef geknoopt vest probeert behulpzaam te zijn met pen en papier maar hij geeft zijn identiteit niet prijs en terwijl hij halsstarrig in zijn kopje blijft roeren denkt hij: nog beter om ook die te vergeten... dan is je alibi helemaal waterdicht.

Her en der wordt gezongen... versleten stemmen proberen een veel te vlug spelende piano op dat podium daar te volgen... dat er niemand op speelt signaleert hij kennelijk als enige... de prijs die men tegenwoordig voor gezelligheid betaalt!... de totale debiele samenzang waartoe de dikke zwetende kantinebaas in zijn witte overhemd op het podium met luide stem het suffende gezelschap voor hem tracht op te wekken.

Sta eens op jij... ga die piano eens van dichtbij inspecteren... hij loopt naar een trappetje aan de zijkant van het podium... stommelt moeizaam naar boven... toetsen die vanzelf naar beneden gaan... nu weer in het middenregister dan weer in een snelle oplopende riedel aan de discant... misschien kunnen ze je vingers helpen... ze misschien leren om weer te spelen... om weer uit je hoofd te spelen... dat gelukzalige gevoel dat je lichaam je speelt... dat je zelf muziek bent geworden... hij gaat zitten op de stoel voor de piano en voelt de toetsen tegen zijn vingers botsen... ze duwen je weg... stoten je af... willen niets meer met je te maken hebben en de kantinebaas sjort je van de stoel overeind met zijn grijnzende gezicht en wil dat je die grijze oude mensen aan die tafeltjes daar beneden mee helpt dresseren op de maat van die schelle vanzelf spelende piano achter je die 'Home on the Range' inzet en hij ziet de kinderlijke overgave in al die zingende opengesperde gezichten die zo blij zijn dat ze samen hetzelfde mogen doen op bevel van die muziekmachine.

Weglopen dus... hier vandaan en je tast je een weg tussen de dikke plooien van een achtergordijn... met het gelach van de zaal in je oren tast je... grijp je je vast in de plooien... klauwt verder langs het gordijn tot je de uitgang hebt en hijgend in het donker blijft staan waar je de piano nog wel hoort maar gedempter en ook het zingen steeds flauwer en gebrekkiger... op zoek is hij naar de uitgang... zo mag ik het zien... en belandt hij weer bij een trappetje dat je omgekeerd op handen en voeten afklimt of struikelt dat is niet zeker en dan zie je licht branden aan het begin van een gang met een arduinen vloer en hoge betraliede ramen en langs een rij wc's zonder deuren... zo betreedt hij een ruimte met wasbakken en kranen... de drenkplaats... daar is dan eindelijk het water... drinken... blijf drinken... spoelen... spoelen... spoelen... stroom... ik moet stromen... onder water liggen en meestromen... wegstromen... waarom onthouden deze bewakers dit lichaam zijn bron en drogen zij het af en leiden zij het weg van het water?

Zij brengen het naar een ruimte met bedden... zij zetten het op de rand van zo'n bed... zij kleden het uit... zij doen het een pyjama aan die lijkt op de pyjama's van die andere mannen met hun grote starende halfkale hoofden op de hoge witte kopkussens en allemaal zijn kant uitgedraaid... zij duwen een pil in zijn keel... zij gieten er water doorheen alsof hij een trechter is... zij leggen hem in bed... zij gaan met zijn tweeën langs de rij bedden... zij zwijgen tot aan de deur en roepen tegelijk goedenacht GOOD NIGHT roepen ze en dan is het donker.

Overal wordt geademd... ze zijn allemaal gekomen om hier samen voor het laatst te slapen... wie met wie dat geeft niet meer... geen namen... geen gezichten meer... alleen ademen... zuchten... allemaal bekenden van hem toen ze nog leefden... stuk voor stuk... naam en toenaam... zij bevindt zich daar ergens tussen... haar zoeken... haar hand moeten wij zoeken... zo iets duurt lang... een heel leven lang duurt dat... uitademen en zuchten en steunen en jammeren en kreunen en snurken... zal haar hand naar je toe komen... hier... neem eerst die hand die daar stuurloos in het duister naar haar graait... pak hem zachtjes vast... kalmeer hem... nu hoef je niets meer zelf vast te houden... zij doet dat voortaan... zij draagt je... ik draag je... kleine jongen van me... de hele lange bange nacht door zal ik je dragen tot het weer licht wordt.

Als het al dag is en GOOD MORNING en iemand zegt... fluisterend... de stem van een vrouw en je luistert... je luistert met gesloten ogen... luistert alleen maar naar haar stem die fluistert... dat het raam is gemaakt... dat waar eerst die oude deur voor zat gespijkerd... dat daar nu weer glas zit... glas waar je doorheen kunt kijken... naar buiten... het bos in en de lente die bijna begint... zegt ze... fluistert ze... de lente die op het punt staat te beginnen...